Dominio

Curso de perfeccionamiento
Nivel C

Dolores Gálvez
Natividad Gálvez
Leonor Quintana

edelsa
GRUPO DIDASCALIA, S.A.
Plaza Ciudad de Salta, 3 - 28043 MADRID - (ESPAÑA)
TEL.: (34) 914.165.511 - (34) 915.106.710
FAX: (34) 914.165.411
e-mail: edelsa@edelsa.es - www.edelsa.es

MUESTRA GRATUITA

Primera edición: 2008
Primera reimpresión: 2009
Segunda reimpresión: 2010
Tercera reimpresión: 2011
Cuarta reimpresión: 2012
Quinta reimpresión: 2013
Edelsa Grupo Didascalia, S.A. Madrid, 2008.

Autoras: Dolores Gálvez, Natividad Gálvez, Leonor Quintana.

Dirección y coordinación editorial: Departamento de Edición de Edelsa.
Diseño de cubierta: Departamento de Imagen de Edelsa.
Diseño y maquetación interior: Dolors Albareda.

Imprime: Gráficas Rógar, S.A.

ISBN: 978-84-7711-352-2
Depósito legal: M-35487-2011

Impreso en España / *Printed in Spain*

Fuentes, créditos y agradecimientos:

Oficina del autor Grupo-Prisa, pág. 26
Fundación Étnor, pág. 98
Fundación José Ortega y Gasset, Madrid, pág. 116
Fundación Luis Goytisolo, pág. 80
Amelia Valcárcel, pág. 170
María José González, págs. 91, 103
Antonio Justo, pág. 93
De MogueFile.com por cortesía de:
Mary Thorman, pág. 111
K. Connors, pág. 57
Clarita, pág. 19, 73, 145, 163
Xenia, pág. 111
De sxc.hu por cortesía de:
Sanja Gjenero, pág. 165
Cordon Press, págs. 8, 44, 62, 152
Del archivo de Edelsa Grupo Didascalia, S.A.

Nota: la editorial Edelsa ha solicitado los permisos de reproducción correspondientes y da las gracias a quienes han prestado su colaboración.

Prólogo

Estamos firmemente convencidas de que la clave del éxito en el aprendizaje de una segunda lengua reside fundamentalmente en la propia capacidad y motivación del alumno. Después, en la labor del profesor, incentivando y encauzando el proceso del que el alumno es protagonista indiscutible; "una lengua no se enseña, se aprende". Solo a continuación mencionaríamos la importancia del libro utilizado en clase.

¿Por qué escribir un libro entonces, habiendo ya tantos en el mercado?

Pues, precisamente por eso. Afortunadamente, hoy día hay muchísimo material disponible, para el profesor y para el alumno. Tanto, que se hace prácticamente imposible conocerlo todo y realizar una selección conforme a nuestros gustos y objetivos. Partimos de la base de que el libro perfecto no existe o, si existe, no es solamente uno, sino que todos los métodos aportan algo. Y, si bien creemos que la enseñanza debe estar centrada en el alumno como persona, pensamos que el libro ideal es aquel que a un profesor concreto le hace sentirse a gusto utilizándolo en clase.

En nuestro caso, coincidimos plenamente en nuestros planteamientos y problemática como profesoras y, por eso, nos hemos puesto manos a la obra, pensando qué material nos gustaría utilizar en nuestras clases y sin partir de ningún enfoque concreto o, si acaso, ecléctico. Nuestro fin es proporcionar un instrumento –que no el único– que ayude a perfeccionar y consolidar el conocimiento del español del estudiante de nivel C. Así, **Dominio, Curso de Perfeccionamiento** se dirige a un público –en su mayoría adultos– que ya dispone de una sólida base, conoce las estructuras básicas del idioma y es capaz de desenvolverse en todos los ámbitos de la vida cotidiana. Pensamos que, a menudo, es aquí donde se produce una cierta sensación en el estudiante de que no progresa o, al menos, no en la medida que desearía. En este estadio es esencial que el estudiante se involucre conscientemente en su propio proceso de aprendizaje para que pueda producirse el necesario salto cualitativo, se encuentre o no el estudiante en estado de inmersión.

¿Qué puede aportar el libro entonces?

Pretendemos que sea un incentivo para que los estudiantes expresen su propio pensamiento en español.

Esquema de las unidades:

Comprensión lectora: hemos realizado un gran esfuerzo en proporcionar discursos de calidad y que reflejen parte del pensamiento del mundo hispánico en la segunda mitad del siglo xx. Discursos con contenido y que sean un modelo que nos ayude a mejorar nuestra propia capacidad discursiva. Lenguaje y pensamiento están interrelacionados; si puedo pensar en un idioma podré hablarlo y cuanto mejor lo conozca, mejoraré mi propia capacidad de reflexión y de expresión en ese idioma.

• *Enriquece tu léxico:* el vocabulario del español es inmensamente rico y el verdadero caballo de batalla en este nivel, por lo cual consideramos de gran importancia todo lo referente a la adquisición de léxico.

Comprensión auditiva: recoge temas que provienen de diferentes medios de comunicación y que presentan un enfoque original además de aportar una nueva perspectiva.

Competencia gramatical: Hemos dividido los contenidos gramaticales en dos grupos:

• *Contenidos propios de la unidad:* en cada unidad hay un tema principal que hemos procurado presentar de manera esquemática.

• *Contenidos generales:* donde se tratan cuestiones que, en nuestra experiencia, son difíciles de captar por el hablante no nativo.

Expresión e interacción escrita: Tanto la expresión como la interacción escrita son parte esencial de la competencia que tiene que desarrollar un estudiante en los diferentes ámbitos como ser humano. Se ha intentado, por tanto, recoger aquellas necesidades del estudiante y darle herramientas para que pueda llevar a cabo las tareas encomendadas con fluidez y confianza.

Expresión e interacción oral: No por mencionarlo en último lugar hemos concedido menos importancia a la expresión e interacción oral. Los temas de este apartados pretenden simular situaciones de la vida cotidiana en la que el estudiante se verá obligado a interactuar.

Para terminar, queremos agradecer a la editorial EDELSA, Grupo Didascalia, la confianza depositada en nosotras, y –por supuesto– a todos ustedes por su indudable interés en la enseñanza del español.

Las autoras

Índice de Contenidos

Según las directrices y contenidos del Marco Común Europeo de Referencia para nivel C.

Comprensión Lectora	Comprensión Auditiva	Competencia Gramatical	Expresión e interacción Escrita		Expresión e interacción Oral	Unidad
			Interacción escrita	Expresión escrita		
Adela Cortina: *Por una ética del consumo*	**Texto informativo descriptivo:** *La Mancha: una región de España.*	**Oraciones comparativas y modales.** **Algo más:** **Valores de SE.**	Convencer y persuadir, despedirse experando respuesta. Expresiones útiles.	**Da tu opinión.** *Comprar a cualquier precio.*	**Debate.** *¿Derecho a morir?*	**6** pág 96
osé Ortega y Gasset: *La misión de la Universidad*	**Texto informativo:** *La historia de la cerveza.*	**Estilo Indirecto.** **Algo más:** **El género de los nombres.**	Pedir información, explicar los motivos, mostrar interés, agradecer la atención.	**Expón tu punto de vista.** *La guerra es un esfuerzo enorme.*	**Exposición oral.** *Globalización y terrorismo.*	**7** pág 114
Julián Marías: *Occidente*	**Entrevista a Helen Fischer:** *Ser infiel es un impulso evolutivo.*	**Formas no personales del verbo.** **Algo más:** **Formación del diminutivo.**	Referirse a un anuncio, hablar de experiencia y formación, expresar interés, solicitar una entrevista.	**Escribe un artículo especializado.** *El encanto de la música.*	**Exposición oral.** *Algo más que monos, mucho menos que humanos.*	**8** pág 132
Octavio Paz: *Itinerario*	**Texto informativo:** *Adicción a las nuevas tecnologías.*	**Perífrasis verbales.** **Algo más:** **Verbos de cambio.**	Expresar disgusto, quejarse, reclamar, protestar, advertir.	**Expón tu punto de vista.** *El salario de toda la ciudadanía.*	**Debate.** *Inmigrantes: subidos al carro del consumo.*	**9** pág 150
Amelia Valcárcel: *Los desafíos del feminismo ante el siglo XXI*	**Texto de opinión:** *Deporte para todos.*	**La voz pasiva.** **Algo más:** **Adverbios terminados en -mente.**	Expresar convicción, invitar. Expresiones útiles.	**Escribe un artículo informativo.** *Jueces en guardia contra la violencia doméstica.*	**Debate.** *Medicina alternativa.*	**10** pág 168

Unidad 1

Comprensión *Lectora*

▶ **Fernando Savater:** *La violencia y las patrañas.*

▶ **Más de cerca:** actividades y estrategias de control de la comprensión.

▶ **Enriquece tu léxico:** actividades y estrategias para ampliar el vocabulario.

Comprensión *Auditiva*

▶ **Texto informativo:** *La sabiduría popular.*

▶ Actividades y estrategias de control de la comprensión.

Competencia *Gramatical*

Contenidos propios de la unidad

▶ Oraciones sustantivas.

Contenidos generales

▶ Contraste *ser / estar.*

▶ Completa con las palabras y expresiones de la lista.

▶ Preposiciones.

▶ Tiempos y modos verbales.

Algo más

▶ Locuciones adversativas: *pero, sino, si no, sino que.*

Expresión e interacción *Escrita*

▶ **Escribir una carta** para expresar sorpresa, malestar y pedir explicaciones.

▶ **Dar tu opinión.** ¿Dónde empieza y acaba la libertad de uno?

Expresión e interacción *Oral*

▶ **La lengua nuestra de cada día:** expresiones, refranes y frases hechas.

▶ **Hablando se entiende la gente:** La imparable "catástrofe" climática.

▶ **Exposición oral.**

Recuerda Gramatical ▶ Oraciones sustantivas.

Unidad 1

Fernando Savater

(1947)

DATOS BIOGRÁFICOS

Filósofo y escritor español nacido en San Sebastián, es uno de los intelectuales españoles de mayor prestigio nacional e internacional. Influido por Nietzsche, se empeñó en innovar los modos de reflexión en España, a través de una incansable actividad periodística, teórica, pedagógica y literaria. Ejerció como profesor de la Universidad Autónoma de Madrid, pero fue apartado de la docencia en 1971 por su oposición al régimen franquista. Desde 1984 es catedrático de Ética en la Universidad del País Vasco y actualmente es catedrático de Filosofía en la Universidad Complutense de Madrid. Ha sido miembro activo de movimientos que luchan contra el terrorismo de ETA en España. Autor de numerosos ensayos, colabora en la prensa con sus artículos sobre temas de actualidad social y política y es codirector de la prestigiosa revista *Claves* (foco de debate intelectual y filosófico).

SU OBRA

En 1982 obtuvo el Premio Nacional de Literatura, en la modalidad de Ensayo, por su obra *La tarea del héroe*, que refleja su interés por desentrañar la ética de sus engañosos vínculos con la moral y convertirla en una empresa creativa abierta. Recientemente ha recibido el Premio González-Ruano de periodismo por el artículo "Mi primer editor". Hasta el momento ha publicado más de 45 obras, varias de las cuales han sido traducidas a doce idiomas. Entre los títulos más conocidos se encuentran: *La infancia recuperada, Ética para Amador, Diccionario filosófico* y *El valor de educar.*

La violencia y las patrañas

"¿Por qué son violentos los jóvenes actuales?", me preguntó un locutor de radio que pareció desconcertarse con mi respuesta: "¿Y por qué no iban a serlo? ¿No lo fueron también sus padres, sus abuelos y sus tatarabuelos?" Naturalmente no todos los jóvenes son violentos, pero en cualquier época lo han sido en suficiente número como para preocupar a la sociedad en que vivían. Después de todo, para ser amenazadoramente violento hay que poder permitirse físicamente serlo, y los jóvenes están en mejores condiciones a ese respecto que los veteranos del IMSERSO[1]. Por eso la mayoría de las comunidades, primitivas o modernas, han desconfiado de la musculosa intransigencia juvenil y han procurado disciplinarla canalizándola hacia empleos socialmente rentables como la caza, la guerra, el deporte o el consumo de vehículos ultrarrápidos. Lo escandaloso no es realmente la violencia juvenil, sino su ejercicio incontrolado o adverso a intereses aceptados como mayoritarios. Es entonces cuando se recurre al lamento y se buscan responsables sociales, entre los que nunca se olvida mencionar a la televisión y a los educadores. Veamos hasta qué punto con razón.

En un reciente congreso en el que participaban biólogos, sociólogos y políticos, un experto americano se descolgó con la noticia de que si los adolescentes redujesen drásticamente su dosis cotidiana de televisión habría anualmente en USA muchos menos asesinatos y violaciones. Naturalmente, éste es el tipo de majadería seudocientífica que se convierte en un titular de prensa muy goloso y que luego es repetido por gente crédula. No voy a decir que la sobredosis de truculencia agresiva en la televisión sea inocua, ni siquiera la proliferación de simple estupidez en los programas de mayor audiencia. Pero ni los talibanes, ni los neonazis, ni los que trafican con niños y luego los asesinan necesitan muchas horas de televisión para aprender su barbarie. Las fantasías violentas pueblan nuestros juegos y sueños desde la infancia: lo grave es no saber cómo distinguirlas de la realidad y desconocer las razones civilizadas por las que debemos evitar ponerlas en práctica. Combatir la imaginación agresiva no resuelve el problema, porque ya sabemos, al menos

---

[1] *El Instituto de Mayores y Servicios Sociales (IMSERSO) es una entidad gestora de la Seguridad Social para la administración de los Servicios Sociales complementarios de las prestaciones del Sistema de Seguridad Social, y en materia de personas mayores y personas en situación de dependencia.*

desde Platón, que lo que distingue al justo del bruto no es la pureza de su fantasía, sino reconocer el mal con que se sueña y descartarlo como guía de acción en la realidad. Bruno Bettelheim lo planteó así: "El predominio de imágenes de violencia en las películas estimula la descarga fortuita de violencia sin hacer nada por promover la comprensión de su naturaleza. Necesitamos que se nos enseñe qué debemos hacer para contener, controlar y encauzar la energía que se descarga en violencia hacia fines constructivos. Lo que brilla por su ausencia en nuestros sistemas educativos y en los medios de comunicación es la enseñanza y promoción de modos de *comportamiento satisfactorios* con respecto a la violencia".

Es imposible enseñar nada válido acerca de la violencia si se empieza por considerarla un enigma de otro mundo que solo afecta a unos cuantos perversos, y si la única recomendación que sabe hacerse es la de renunciar a ella aborreciéndola por completo. Lo cierto es que la cofradía humana está constituida también por la violencia y no solo por la concordia. Digámoslo claramente: un grupo humano en el que todo atisbo de violencia hubiese sido erradicado sería perfectamente *inerte* si no fuese impensable. Tampoco es pedagógicamente aceptable establecer que "nunca se *debe* responder a la violencia con la violencia". Al contrario, lo adecuado es informar de que la violencia *siempre* acaba por ser contrarrestada con otra violencia y que en eso reside precisamente su terrible peligro aniquilador. Porque todos los hombres podemos y sabemos ser violentos: si no *queremos* serlo es porque consideramos nuestros intereses vitales resguardados por instituciones que no solo representan nuestra voluntad política de concordia, sino también nuestra voluntad violenta de defensa o venganza. Las instituciones democráticas no son pacíficas sino pacificadoras: intentan garantizar coactivamente un marco dentro del cual las relaciones humanas puedan suspender sus tentaciones violentas sin excesivo riesgo de los individuos y permita que cada cual aprenda a utilizar armas de creación, persuasión o seducción, no destructivas. Por eso la desmoralización social que más fomenta la violencia proviene de ver que los violentos que actúan fuera de la ley —a veces, ay, diciendo representarla— quedan impunes o son recompensados con el éxito.

Savater, F.: "La violencia y las patrañas" (adaptado), *El País*.

1. Señala si es verdadero (V) o falso (F) según el texto.

             V **F**

1. Son violentos los jóvenes que tienen progenitores también violentos. ☐ ☐

2. Los jóvenes del IMSERSO son más violentos que los veteranos de dicha institución. ☐ ☐

3. La violencia juvenil es una tendencia natural que la sociedad ha procurado siempre canalizar hacia actividades más provechosas. ☐ ☐

4. Los estudiosos admiten que reduciendo las horas que los jóvenes dedican a ver televisión disminuirán notablemente los actos violentos. ☐ ☐

5. Vivir la violencia en el terreno de la fantasía no es negativo, lo malo es no saber prescindir de ella a la hora de actuar en la realidad. ☐ ☐

2. Elige la opción correcta.

1. Según Savater, la violencia...

  a. afecta tan solo a un número reducido de personas perversas.

  b. protege a las sociedades de las veleidades aniquiladoras de algunos de sus componentes.

  c. permite que la erradicación de la tiranía sea a veces algo impensable.

2. Para que una comunidad se enfrente correctamente a la violencia...

  a. ha de conocer a fondo su funcionamiento para así poder neutralizarla.

  b. no debe responder con violencia ante los actos violentos.

  c. no debe crear armas destructivas, sino disuasorias.

3. Foro internacional. **Jóvenes y violencia**

Participas como periodista de opinión en un foro internacional sobre los jóvenes y la violencia.

1. Recoge brevemente las ideas básicas que se reflejan en el texto y escribe un artículo de información.

2. Redacta un editorial.

enriquece tu
léxico

1. Relaciona las palabras del texto con sus sinónimos.

1.	amenazar		a.	encauzar
2.	intransigencia		b.	indemne
3.	canalizar		c.	confiado
4.	recurrir		d.	sorprender
5.	drástico		e.	conminar
6.	majadería		f.	radical
7.	crédulo		g.	refulgente
8.	imprudencia		h.	malvado
9.	inocuo		i.	bobada
10.	proliferar		j.	intimidar
11.	impune		k.	compensar
12.	descartar		l.	convincente
13.	fortuito		m.	apelar
14.	desconcertar		n.	insensatez
15.	brillante		ñ.	inofensivo
16.	enigma		o.	intolerancia
17.	perverso		p.	multiplicarse
18.	coaccionar		q.	misterio
19.	contrarrestar		r.	eliminar
20.	persuasivo		s.	casual

2. Encuentra el antónimo.

1.	intransigencia		a.	constructivo
2.	reducir		b.	desanimar
3.	cándido		c.	despoblar
4.	poblar		d.	aumentar
5.	inocuo		e.	desistir
6.	estimular		f.	desconfiado
7.	vengarse		g.	dañino
8.	apelar		h.	aceptación
9.	renuncia		i.	tolerancia
10.	destructivo		j.	perdonar

¿y tú?

3. Contesta a las preguntas.

- ¿Cómo definirías a una persona cándida?
- ¿Qué sería para ti un hecho fortuito?
- ¿Cuándo y cómo te vengarías de alguien?
- ¿Has cometido alguna imprudencia? ¿Cuál y cómo fue?

4. Completa las frases con las palabras del vocabulario. Haz las transformaciones necesarias.

> drástico
> fortuito
> coacción
> inocuo
> proliferar

> provenir
> apelar
> enigma
> derrocar
> desconcertado

> perverso
> poblar
> majadero
> aniquilar
> imprudencia

> intransigente
> descartar
> brillante
> saciar
> persuasivo

1 ▶ Este gobierno tomará medidas .... para acabar con la corrupción.

2 ▶ Era considerado por todos una persona muy ...., por eso nadie discutía con él.

3 ▶ Nuestro encuentro después de diez años fue totalmente ....

4 ▶ Su vida es un .... para todos. Nadie sabe cómo llegó aquí ni de dónde proviene.

5 ▶ Alberto es un auténtico ...., se cree muy listo, pero no sabe nada de nada.

6 ▶ La batalla fue muy cruenta, el ejército enemigo quedó totalmente ....

7 ▶ Fue condenado por .... temeraria. No frenó en el paso de cebra y se llevó por delante a un peatón.

8 ▶ Después de hacernos veinte kilómetros en bicicleta no había manera de que .... nuestra sed.

9 ▶ No firmes el contrato bajo ...., puedes arrepentirte después.

10 ▶ Eran unas setas .... y él pensaba que lo estaban envenenando.

11 ▶ Intentaron .... la dictadura varias veces, pero no lo consiguieron.

12 ▶ Era un ser .... Disfrutaba viendo sufrir a sus semejantes.

13 ▶ Este mes de agosto hemos .... ir de vacaciones a la playa; hay un gentío increíble.

14 ▶ Por muy .... que seas no conseguirás convencerme de que agosto es la mejor época para veranear.

15 ▶ Su apellido .... del latín.

16 ▶ En este clima tan húmedo no te puedes imaginar cómo .... las setas.

17 ▶ Los abogados .... ante el juez para que revocara la sentencia.

18 ▶ Me dejó con la boca abierta, tan .... que no sabía cómo reaccionar. No podía creerme que volviera a casarse por segunda vez con Laura.

19 ▶ Nicolás es un tipo de ideas ...., el problema es que nunca las lleva a la práctica.

20 ▶ Hay muchas zonas del planeta que .... durante los dos últimos siglos.

5. CRUCIGRAMA. Con las definiciones que te damos resuelve el crucigrama.

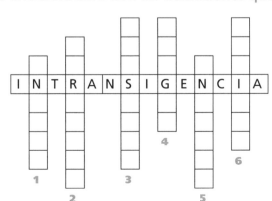

1. *adj.* Que no hace daño.
2. *adj.* Que causa daño intencionadamente.
3. *adj.* Riguroso, enérgico, radical.
4. *n.m.* Que difícilmente puede entenderse o interpretarse.
5. *adj.* Libre, exento de daño.
6. *adj.* Tajante, intransigente.

Comprensión *Auditiva*

▶ La sabiduría popular

Las excelencias del melón

 1. Después de escuchar el texto sobre las "excelencias" del melón, di si las siguientes afirmaciones son verdaderas (V) o falsas (F).

	V	F
1 ▶ Los refranes muestran la sabiduría popular y siempre están de acuerdo con la ciencia médica.	☐	☑
2 ▶ El melón contiene fundamentalmente agua.	☑	☐
3 ▶ La causa de que no sea indigesto es la falta de grasa.	☐	☑
4 ▶ El origen de este refrán está en las grandes cantidades de melón que se ingerían en épocas de hambre.	☑	☐
5 ▶ Comer melón por la noche moderadamente no puede producir cólico.	☐	☑

 2. ¿Lo has entendido bien? Elige la opción correcta.

1 ▼

a. El melón es una fruta muy sabrosa.
b. Contiene menos proteínas que grasas.
c. Contiene más grasas que hidratos de carbono.

2 ▼

a. A veces resulta algo indigesto.
b. Si se abusa de él, la digestión es muy exagerada.
c. Es un buen complemento en las dietas.

3 ▼

a. Cuando la vida era muy cara, se comía en cantidades excesivas.
b. Contiene gran cantidad de agua y por eso nos mantiene inapetentes durante mucho tiempo.
c. El melón en ningún caso es responsable de cólicos.

Competencia Gramatical

1. Completa las frases sustantivas del siguiente texto con los verbos entre paréntesis en el tiempo y modo adecuados.

Crisis conyugal

Estoy harta de que (aprovecharse, tú) (1)....................... de mí. Tú solo quieres que te (lavar) (2).................... y te (planchar) (3)....................... la ropa y te (preparar) (4)....................... la comida, pero yo no soy tu criada. ¿Te parece justo que tú (irse) (5)....................... todos los días de juerga con tus amigotes y yo (quedarse) (6)....................... en casa esperándote? Eso se acabó. No estoy dispuesta a (seguir) (7)....................... así toda mi vida. Razón tenía mi madre cuando me decía que no (casarse, yo) (8)....................... contigo. Pero yo no me imaginaba que nuestra relación (ir) (9)....................... a cambiar tanto después de la boda.

Al principio no me di cuenta de lo egoísta que (ser, tú) (10).................... . Me molestaba, claro, que (pasar, tú) (11)....................... tanto tiempo fuera de casa, pero quería (pensar) (12).................... que era algo natural que (conservar, tú) (13)....................... tus amistades de soltero y no quería (obligar, a ti) (14)....................... a (aburrirse, tú) (15)....................... en casa conmigo todo el tiempo. Pensaba que (agradecer, tú) (16)....................... que (ser, yo) (17)....................... tan liberal y comprensiva, y que eso (ser) (18)....................... lo mejor para nuestra relación. ¡Qué ingenua!

No me extraña que (sorprenderse, tú) (19)....................... y te (parecer) (20)....................... una reacción exagerada que (pedir, yo) (21)....................... el divorcio. Claro, es muy cómodo que te (cuidar) (22)....................... y te (mimar) (23)....................... sin ofrecer nada a cambio. Seguro que no crees que (ir, yo) (24)....................... a hacerlo. Te equivocas. He hablado con mi madre y me ha aconsejado que (dirigirse, yo) (25)....................... a un abogado sin pérdida de tiempo. Me ha dicho que (ser) (26)....................... mejor que (dejar, a ti) (27)....................... esta nota y que no (hablar) (28)....................... contigo. Quiere (pasar) (29)....................... a recogerme y que (ir) (30)....................... a su casa hoy mismo.

Espero que no (llegar, tú) (31)....................... hoy muy tarde. He preparado un plato que creo que te (gustar) (32)....................... . Lo único que hay que hacer es (calentar) (33)....................... en el microondas. No pienses que (ser, yo) (34)....................... capaz de dejarte sin cena, aunque preferiría que (cenar, nosotros) (35)....................... juntos. ¡Ah, el teléfono de mamá está apuntado en la agenda en la repisa de la entrada!

2. Termina las frases.

1 ▶ El médico aconsejó a Luis ....

2 ▶ La policía impidió que los ladrones ....

3 ▶ Necesitaríamos que nuestros políticos ....

4 ▶ Las autoridades recomiendan ....

5 ▶ En aquel mismo momento nos dimos cuenta de ....

6 ▶ Todas las ONG que estaban allí lamentaron ....

7 ▶ Es evidente que la mayoría de los ciudadanos ....

8 ▶ Es bueno que la enseñanza ....

9 ▶ No es normal que las relaciones entre ambos países ....

10 ▶ No es razonable que nuestros mayores ....

Competencia*Gramatical*

3. *¿Ser o estar?* **Sustituye lo que está en negrita por** *ser* **o** *estar* **y haz las transformaciones necesarias.**

1▶ Este nuevo corte de pelo te **queda** muy bien.

2▶ **Residimos** durante cinco años en Buenos Aires porque mi marido **pertenece al** cuerpo diplomático.

3▶ **Se encuentra** muy preocupado por la enfermedad de su hijo, a pesar de que el médico le ha dicho que no **se trata de** nada grave.

4▶ El día 12 de octubre **se celebra** la fiesta nacional de España.

5▶ Mi padre quería que **llegáramos a** casa a las doce.

6▶ El ladrón entró en la casa tranquilamente porque los perros **se encontraban** atados.

7▶ El juicio **tuvo lugar** en una ciudad del norte de Argentina, llamada Salta.

8▶ Nunca **se ponen** de acuerdo cuando se trata de política.

9▶ El coche **lo he aparcado** en la calle Bolívar, esquina a José Martí.

10▶ Su familia **procede** de Oaxaca.

4. Completa el diálogo con las palabras que te damos a continuación.

Alberto, Jaimito, Chusa y Elena comparten piso. Alberto es policía y ha dejado por unos momentos su servicio en la comisaría donde trabaja para ir a su casa. En eso, llega la madre de Alberto y se sorprende de encontrarlo allí a esa hora.

ALBERTO: Me tengo que ir, no se den cuenta. Ya no creo que vengan, no sería aquí. Cualquier día me vais a meter en un lío entre todos... "¡Madero[1]!" .(1)...........................

JAIMITO: Espera, bajo contigo, así me tomo un café, que estoy en ayunas. Y no te mosquees que te mosqueas por nada últimamente.

DOÑA ANTONIA: Un café a la una, qué desbarajuste. Toma el bocadillo y estírate la camisa. Que vas hecho un cuadro.

ALBERTO: .(2)........................ Hasta luego.

DOÑA ANTONIA: .(3).......................¡Qué hijos éstos!

ELENA: ¿Tiene usted más? ¿Más hijos?

DOÑA ANTONIA: ¡Te parece poco con este bala perdida[2]! .(4)...................... dadme una copa de coñac si tenéis por ahí, .(5)...................... se me quita el disgusto que tengo.

CHUSA: Se acabó usted el último día la botella. Sólo hay té. ¿Quiere té?

DOÑA ANTONIA: ¿Té? .(6)........................ . Yo sólo tomo té cuando me duele la tripa. ¿Y tú quién eres? No te conocía.

ELENA: Es que soy nueva. Soy Elena. Mucho gusto.

DOÑA ANTONIA: .(7)........................ Encantada, hija. Antonia del Campo, calle de la Sal, doce, bajo C. Allí tienes tu casa. .(8)....................... Otra infeliz que cayó en el vicio, con la cara de buena que tienes .(9)......................... .(10)........................, me voy a echar un bingo. A ver si cojo un par de líneas por lo menos. A esta hora es cuando está mejor y más decente. Como está enfrente del mercado, sólo señoras, amas de casa y alguna criada.

Alonso de Santos, J.L.: *Bajarse al moro*,
Cátedra, Madrid.

¡vale! ¡vale!
quita, quita
¡ay, Dios mío!
¡ay, Dios mío!
¡en fin!
encima
¡huy!
bueno
anda
a ver si

[1] *Madero: coloq: policía* / [2] *Bala perdida: persona de poco juicio.*

Competencia Gramatical

5. ¿Qué preposición falta?

1 ▶ Cuando hablábamos ayer no me refería .... Pedro, sino .... Juan.

2 ▶ Alicia lleva una vida entera dedicada .... cuerpo y alma .... su marido; no ha sabido realizarse como persona.

3 ▶ Después de estar perdido más de media hora, al final vino .... dar a la Plaza del Ayuntamiento.

4 ▶ De golpe y porrazo y .... motivo alguno salió de la sala hecho un basilisco.

5 ▶ Se puso .... decir barbaridades y no había quien lo parara.

6 ▶ Cuando te dice que te quiere no está fingiendo, le sale .... el alma.

7 ▶ Los cuatro años que María estuvo destinada .... Argentina, nos dedicamos a recorrer todos los países del Cono Sur.

8 ▶ Pertenece a una ONG e interviene activamente en todo lo que le piden .... contribuir con su granito de arena a mejorar el mundo.

9 ▶ Yo te he hablado de una manera muy correcta y espero lo mismo de ti; tienes que aprender a dialogar .... ofender a nadie.

10 ▶ Se negaron .... dejarnos pasar al club alegando que no llevábamos corbata.

11 ▶ Siempre nos queda la posibilidad de apelar .... la Corte Suprema.

12 ▶ Tiene .... costumbre regirse .... sus instintos.

13 ▶ Dio .... seguro que iríamos a verlo el fin de semana.

14 ▶ Si te obsesionas tan fácilmente .... esas tonterías, terminarás sufriendo un infarto.

15 ▶ Me comentó que a lo único que aspiraba era .... formar una familia y a vivir .... sus libros.

6. ¿Indicativo o subjuntivo? Completa el texto de Benedetti con los tiempos y modos adecuados.

Hay tantos prejuicios

Por lo menos *(transcurrir)* (1)........................ quince años sin que Ignacio *(saber)* (2)........................ nada de Martín o de Alonso. Nada, de modo directo, claro, ya que indirectamente le *(llegar)* (3)........................ esporádicas referencias. Así que *(encontrarse, ellos)* (4)........................ en el aeropuerto de Carrasco. Ellos *(llegar)* (5)........................ de Santiago de Chile, él *(partir)* (6)........................ hacia Porte Alegre. *(Ser)* (7)........................ todo un acontecimiento. Apenas *(tener, ellos)* (8)........................ diez minutos para reconocerse (a duras penas, debido a la actual espesa barba de Ignacio, la vertiginosa calvicie de Martín, el respetable abdomen de Alfonso), *(abrazarse)* (9)...................., *(ponerse)* (10)........................ sumariamente al día. Martín *(estar)* (11)........................ casado por segunda vez, Alfonso *(enviudar)* (12)...................., Ignacio *(mantenerse)* (13)........................ incólume en su soltería. *(Dejar, ellos)* (14)........................ expresa constancia de la triple voluntad de encontrarse cuanto antes e *(intercambiar)* (15)........................ rápidamente tarjetas, con teléfonos y domicilios.

Luego, durante el vuelo, Ignacio *(ir)* (16)........................ repasando sus recuerdos. Esos dos, y también Javier, hoy catedrático en Ciudad de México, *(constituir)* (17)........................ su "barra", su clan de inseparables, primero en el colegio de la Sagrada Familia, después en el liceo Elbio Fernández, y poco más. De pronto, casi sin advertirlo, cada uno *(empezar)* (18)........................ a seguir su rumbo propio. Javier *(ser)* (19)........................ el primero en desaparecer: *(emigrar)* (20)........................ a México con sus padres y allí *(concluir)* (21)........................ su doctorado y *(casarse)* (22)........................ con una guatemalteca. Ignacio *(recibirse)* (23)........................ de escribano. Alfonso *(llegar)* (24)........................ hasta tercero de Medicina pero luego, a la muerte de su padre, *(hacerse)* (25)........................ cargo de la estancia en Soriano y sólo *(bajar)* (26)........................ a Montevideo tres o cuatro veces al año. Martín, que *(parecer)* (27)........................ tan enclenque en su infancia, *(dedicarse)*

.(28)..................... al atletismo con bastante éxito, *(quedar)* .(29)..................... a sólo dos décimas del récord nacional en los 400 metros llanos, y después, ya metido en el mundo del fútbol, *(ser)* .(30)..................... preparador físico de algún equipo local y varios del exterior, de modo que *(viajar)* .(31)..................... constantemente, con residencias prolongadas en Colombia, Honduras y Chile.

Tras su regreso de Brasil, Ignacio *(dejar)* .(32)..................... pasar un par de días y luego *(telefonear)* .(33)..................... a Martín: *(quedar)* .(34)..................... en encontrarse los tres en un restaurante del Puerto y allí escribir conjuntamente una postal que *(mandar)* .(35)..................... al lejano Javier.

Ya en los postres, Martín *(dirigirse)* .(36)..................... a Ignacio: "¿A que no te acordás del padre Arnáiz, el implacable de Matemáticas, cuando *(tener)* .(37)..................... la ocurrencia de preguntarnos a los cuatro qué *(aspirar)* .(38)..................... a ser cuando mayores?".

Alfonso *(cortar, a él)* .(39).....................: "Recuerdo que Javier *(decir)* .(40)..................... que profesor, y lo es. Vos, Martín, *(decir)* .(41)..................... que atleta, y lo fuiste. Yo dije que estanciero, y lo soy. Ya lo ves, Ignacio: fuiste el único que no *(cumplir)* .(42)....................., ¡qué vergüenza!".

"Es cierto", dijo Ignacio con voz ronca. "No cumplí".

"¿Verdaderamente recordás lo que dijiste entonces?", preguntó Martín.

"Naturalmente. Son cosas que no se olvidan. Antropófago. Dije que *(querer)* .(43)..................... ser antropófago".

Los otros *(soltar)* .(44)..................... la risa y Alfonso *(inquirir)* .(45).....................: "¿Y? ¿Qué *(pasar)* .(46).....................?"

Ignacio *(resoplar)* .(47)....................., incómodo: "Toda una frustración", *(decir)* .(48)..................... entre dientes. "Somos una sociedad demasiado provinciana. Hay tantos prejuicios. Tantas inhibiciones".

Benedetti, M.: *Despistes y franquezas* (adaptado), Alfaguara, Barcelona.

Pero, Sino, Si no, (el) Sino

▶ **PERO:** conjunción adversativa de restricción parcial.
No es tonto, pero es muy vago.

▶ **SINO:** conjunción adversativa de restricción total; solo se usa en frases negativas.
No es tonto, sino vago.

▶ **SI NO:** locución condicional.
Si no llega a tiempo se perderá la introducción a la conferencia.

▶ **(el) SINO:** sustantivo.
El sino de muchos de nosotros es vagar de país en país, de lugar en lugar.

▶ **Otros usos:**
No quiere sino dormir.
No solo es inteligente, sino muy trabajadora también.
Si no puedes venir, avísame.
Está claro que era su sino llegar a presidente.

7. ¿Pero, sino o si no?

1 ▶ No hice muy mal el examen, ... no es seguro que apruebe.

2 ▶ No hice .... seguir tus indicaciones.

3 ▶ No te preocupes .... puedes venir.

4 ▶ De verdad, no es que no quiera .... no puedo hacerlo.

5 ▶ Deberías venir con nosotros, ¿qué vas a hacer ....?

6 ▶ ¿Quién .... él puede pensar una cosa así?

7 ▶ Deberías invitar no solo a tus amigos, ... también a los compañeros del trabajo.

8 ▶ Sé que no es fácil, ... no debes desanimarte por ello.

9 ▶ Queríamos ir a la playa, ... amaneció nublado.

10 ▶ No solo llegó tarde al examen, ... además lo pillaron copiando.

11 ▶ Está visto que no es mi .... llegar a rico.

12 ▶ A veces no hieren las palabras, ... el tono de voz que empleamos.

13 ▶ No te dije que me lo compraras, ... miraras el precio.

14 ▶ ¡Qué le vamos a hacer!, es nuestro ....

15 ▶ Me siento bien aquí, no solo por el clima, ... también por tu compañía.

8. Elige la opción correcta.

1 ▶ Esos chicos no solo cantan y bailan muy bien, ... también eligen la música apropiada para cada ocasión.
    a. si no
    b. pero
    c. sino que

2 ▶ Diviértete, ... ten cuidado con el coche.
    a. pero
    b. si no
    c. sino

3 ▶ Tendremos que madrugar, ... nos quedaremos sin nada. Ya sabes que si vamos tarde los productos se acaban.
    a. sino
    b. si no
    c. pero

4 ▶ Aprender un nuevo idioma, a veces, resulta complicado, ... para mí representa un desafío.
    a. sino
    b. pero
    c. si no

Expresión e interacción
Escrita

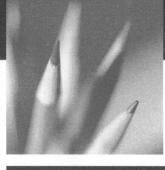

▶ **Observa.**

Antes de nada ▼

Una carta consta de tres partes:

▶ El encabezamiento

▶ El cuerpo

▶ El cierre y los complementos

encabezamiento

Destinatario

Asunto

Línea de atención

Saludo

Centro Español de Idiomas
C/ Peñarroya, 377
28034 Madrid

Asunto: Envío de catálogo
A la atención de la Jefa de Estudios

Estimada señora:

edelsa
GRUPO DIDASCALIA, S.A.
Plaza Ciudad de Salta, 3 - 28043 MADRID - (ESPAÑA)
TEL.: (34) 914.165.511 - (34) 915.106.710
FAX: (34) 914.165.411
e-mail: edelsa@edelsa.es - www.edelsa.es

Fecha

9 de septiembre de 2006

En respuesta a su amable carta, adjunto le envío el catálogo correspondiente al año 2007 en donde encontrará todas nuestras novedades.

Quedamos a su disposición para cualquier otra consulta que desee realizar.

cuerpo

cierre y complementos

Despedida

Atentamente,

Miguel García
Director de Ventas

Antefirma y Firma

Anexo: 1 catálogo

Anexo/s

¡ACCIÓN!

Me rescinden el contrato: ¿qué hago?

Recursos

Redacta una carta al Jefe de Personal.

▶ Trabajas para una compañía chilena en tu país. Habías firmado un contrato por dos años, pero sin previo aviso te lo han rescindido. Redacta una carta al Jefe de Personal en el tono y estilo adecuados. En la carta tienes que:

▶ Exponer los hechos.

▶ Expresar tu sorpresa y malestar.

▶ Pedir explicaciones por este hecho.

▶ Recordarle todo lo que has aportado a la empresa.

▶ Despedirte esperando una respuesta.

Expresar malestar:
Estoy totalmente indignado...
Me siento decepcionado...
Resulta decepcionante/indignante...

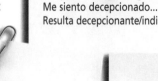
Pedir explicaciones:
Le agradecería que me explicara...
Le rogaría que me dijera...
Le pediría que me diera una explicación...
¿Cómo se explica (el hecho) que...?

Expresar sorpresa:
Me he quedado muy sorprendido...
Me ha sorprendido...
No me esperaba...

¡ACCIÓN!

¿Dónde empieza y acaba la libertad de uno?

Escribe una carta al director de un periódico.

Entre los argumentos que se alegan a favor de la despenalización de las drogas está, sin duda, el de la libertad de los ciudadanos. Entonces también habría que aceptar un derecho a suicidarse, a cometer violencias contra uno mismo y, por supuesto, un derecho a ser inmoral, alcohólico, toxicómano, perverso..., derecho que merece protección colectiva, siempre, por supuesto, que no se dañe a terceros.

Lamo de Espinosa, E.: "Por una cultura positiva de la droga" (adaptado), *El País.*

Recursos

▶ Escribe una carta al periódico donde has leído el artículo anterior para dar tu opinión sobre el tema (150-200 palabras). En la misma deberás:

▶ Mostrar claramente tu acuerdo o desacuerdo.

▶ Dar algunos ejemplos que apoyen tu punto de vista.

▶ Matizar algunos aspectos que no te parezcan igual de importantes.

▶ Reiterar tu opinión antes de despedirte.

Presentar el tema: Para comenzar, para empezar, etc.

Exponer el tema: Me gustaría decir que, en primer lugar quiero decir, la verdad es que.

Expresar acuerdo o desacuerdo: estoy en contra, no es verdad que, no tiene sentido, estoy a favor de, es obvio que, sin duda alguna, etc.

Poner ejemplos: como por ejemplo, como se puede ver en, como se dice en, etc.

Enumerar argumentos: antes que nada, para empezar, por un lado/por otro, por una parte/por otra, en primer/segundo lugar, etc.

Conclusión y reflexión final: en resumen, para concluir, concluyendo, para terminar, etc.

Expresión e interacción *Oral*

La lengua nuestra *de cada día*

Cada oveja con su pareja

1. Relaciona las expresiones con su definición.

1 ▶ Dar jabón a alguien.

2 ▶ Quedarse de una pieza.

3 ▶ Tener malas pulgas.

4 ▶ Ni corto ni perezoso.

5 ▶ Agarrarse a un clavo ardiendo.

a ▶ No poder reaccionar por efecto de un susto, una fuerte emoción, etc.

b ▶ Tener mal genio o mal carácter. Actuar con mala idea.

c ▶ Valerse de cualquier medio para salir de una dificultad o peligro.

d ▶ Adular a otra persona, generalmente para conseguir un beneficio.

e ▶ Sin timidez ni vacilación alguna. Súbitamente.

¿A que no sabes?

2. Completa el siguiente diálogo con las expresiones anteriores.

- ¿Sabes? el otro día me encontré con Juan, le pregunté por su novia porque no tenía ni idea de que lo habían dejado, y estuvo muy agresivo conmigo, ¡hay que ver qué .(1)... tiene este hombre!

- Pues yo, .(2)..., le dije que la culpa de todo la tenía él, que había utilizado a la pobre chica para olvidar a su ex mujer, pero que en realidad no estaba enamorado de ella, y que lo único que hacía era (3)... para sacar el mayor beneficio de ella.

- La verdad es que Isabelita, aquí entre nosotras, no lo pasó tan mal con él, viajes por aquí, por allá, los mejores hoteles, regalos caros... Fue a dar con uno de los que más dinero tienen, y ahora, .(4).................... .... (a él) .... para no estar sola.

- Sí, sí, pero sufrió mucho al enterarse de que le estaba poniendo los cuernos con su ex mujer, la pobre cuando se enteró (5)... . ¡Qué le vamos a hacer, así es la vida!

En otros lugares

3. ¿Con qué expresiones identificarías estas imágenes? ¿Hay un equivalente en tu lengua?

Nota: para conocer más expresiones te recomendamos *Hablar por los codos*, Vranic, G.

Expresión: ....

Expresión: ....

Hablando **se entiende la gente**

La "imparable" catástrofe climática

Lee las informaciones siguientes.

> *"Hay que recurrir a la energía nuclear. En países urbanos es absurdo intentar sacar la energía de los molinos de viento."*
>
> Lovelock, J.: *El País Semanal* (Entrevista de Rosa Montero).

> *"James Lovelock, el científico que revolucionó las ciencias ambientales con su hipótesis Gaia, cree que la Humanidad se dirige a un desastre ecológico inevitable. Sigue defendiendo que la energía nuclear es la única forma realista de evitar el aumento del calentamiento global."*
>
> Brown, A.: *The Guardian / El Mundo*.

Energía nuclear… ¿sí o no?

Prepara tu intervención. ▶ Busca información sobre la energía nuclear y reflexiona al respecto.

www.foronuclear.org / www.mitosyfraudes.8k.com

¡ACCIÓN!

Exposición oral

▶ En la exposición deberás:

- ▶ Manifestar tu acuerdo o desacuerdo con la opinión de James Lovelock.
- ▶ Comparar la energía nuclear con otras fuentes de energía alternativas y dar ejemplos.
- ▶ Hablar del medio ambiente y de cómo podría afectar positiva o negativamente el uso de la energía nuclear.

Recursos

Comparar: igual de, tal / tales… como / cual, cuanto más / menos… (tanto) más / menos, es incomparable, es lo mismo que, a diferencia de, etc.

Aditivos: todavía más, más aún, encima, etc.

Expresar convicción: estoy totalmente convencido de que, no hay duda de que, tengo la convicción de que, etc.

Dar ejemplos: a modo de ejemplo, y así vemos que, si lo comparamos a, etc.

Adverbios: científicamente, personalmente, indudablemente, desgraciadamente, etc.

Verbos de voluntad o influencia (mandato, prohibición o consejo)

► **Con infinitivo:**
Cuando el sujeto es el mismo: *Se negó a participar en la reunión anual.*

► **Con subjuntivo o infinitivo:**
Cuando el sujeto es distinto: *Te mandó que lo hicieras tú solo / Os aconsejo venir antes de la hora.*

Verbos de voluntad o influencia: *aceptar, aconsejar, consentir, decidir, decir, dejar, exigir, hacer, impedir, indicar, intentar, lograr, mandar, necesitar, negarse a, obligar, ofrecer, ordenar, pedir, permitir, procurar, prohibir, proponer, recomendar, rogar, solicitar, sugerir, tolerar,* etc.

Verbos de lengua, entendimiento y percepciones sensoriales

► **Con indicativo:**
a. En forma afirmativa e interrogativa: *Creo que ha venido esta tarde.*
b. Con imperativo negativo: *No creas que todo es tan fácil.*
c. Con adverbios interrogativos: *qué, quién, cómo, cuándo,* etc.: *No sé dónde está.*

► **Con subjuntivo:**
a. En frases negativas: *No veo que trabajes tanto como dices.*
b. Los verbos *aceptar, admitir, comprender, entender, explicar* cuando tienen la idea implícita de *aunque: Admito que sea tan grave como dicen, pero esa no es la solución* (=aunque sea).

Verbos de lengua: *aclarar, anunciar, afirmar, asegurar, comentar, confesar, contar, contestar, decir, declarar, demostrar, enseñar, explicar, exponer, garantizar, indicar, informar, insistir, jurar, mencionar, murmurar, narrar, relatar, repetir, responder, señalar,* etc.

Verbos de entendimiento: *comprender, considerar, creer, entender, figurarse, imaginar(se), juzgar, opinar, pensar, reconocer, suponer,* etc.

Verbos de percepción: *darse cuenta, intuir, notar, observar, oír, parecer, sentir, soñar, ver,* etc.

Verbos que expresan emociones y preferencias

► **Con infinitivo:**
Cuando es el mismo sujeto: *Me alegro de veros.*

► **Con subjuntivo:**
Cuando es distinto sujeto: *Me alegro de que hayas venido.*

Verbos de emociones y preferencias: *agradar, alegrarse, anhelar, ansiar, apetecer, asombrar, dar (igual, pena, rabia, vergüenza...), desear, encantar, gustar, emocionar, entristecer, entusiasmar, esperar, extrañar, fastidiar, interesar, lamentar, molestar, pesar, poner (nervioso, de mal humor...), preferir, preocupar, pretender, querer, sentir, sorprender,* etc.

Expresiones impersonales de opinión

▶ **Con indicativo:**
Con *es verdad, es evidente, es seguro* y sinónimos: *Es evidente que no tiene interés.*

▶ **Con subjuntivo:**
a. Con *bien, bueno, importante, lógico, mal, natural, normal, raro, comprensible,* etc.: *Es importante que hagas eso cuanto antes.*
b. Con *es verdad, es evidente, es seguro* y sinónimos en negativo: *No es verdad que hayan firmado el acuerdo.*

Expresiones más frecuentes: *es, parece + bueno, comprensible, conveniente, importante, imprescindible, injusto, lógico, mejor, malo, magnífico, maravilloso, natural, necesario, obligatorio, peor, posible, preciso, probable, razonable, ridículo, una estupidez,* etc.

Está + bien, mal; más vale, merece / vale la pena.

Verbos con doble construcción cuando el verbo cambia de significado

Decir
▶ **Con indicativo** con el sentido de *informar: Te digo que hoy no tengo tiempo.*
▶ **Con subjuntivo** con el sentido de *aconsejar* o *mandar: Te digo que veas ese programa porque es muy bueno.*

Pensar
▶ **Con indicativo** con el sentido de *reflexionar: He pensado que se lo voy a decir María.*
▶ **Con subjuntivo** con el sentido de *influir: He pensado que lo decidas tú misma.*

Convencer
▶ **Con indicativo** con el sentido de *demostrar: Le he convencido de que podía hacerlo solo.*
▶ **Con subjuntivo** con el sentido de *influir: Les convencí de que lo hicieran antes de tiempo.*

Otros verbos similares: *avisar, advertir, repetir, temer, confiar, esperar,* etc.

Para consolidar y ampliar tus conocimientos te recomendamos...

Diccionario práctico de **gramática**
800 fichas de uso correcto del español

edelsa

Unidad 2

Comprensión *Lectora*

▶ **Félix de Azúa.** *Salidas de tono.*

▶ **Más de cerca:** actividades y estrategias de control de la comprensión.

▶ **Enriquece tu léxico:** actividades y estrategias para ampliar el vocabulario.

Comprensión *Auditiva*

▶ **Texto especializado:** *Salud en riesgo.*

▶ Actividades y estrategias de control de la comprensión.

Competencia *Gramatical*

Contenidos propios de la unidad

▶ Pronombres relativos.

Contenidos generales

▶ Contraste *ser / estar.*

▶ Completa con las palabras y expresiones de la lista.

▶ Preposiciones.

▶ Tiempos y modos verbales.

Algo más

▶ *Por qué; porque; porqué; por que.*

Expresión e interacción *Escrita*

▶ **Escribir una carta** para explicar cómo se ha conocido el asunto, expresar preocupación y confianza, proponer alternativas y soluciones.

▶ **Exponer tu punto de vista.** La ciudad, ¿remedio para la vida en el pueblo?

Expresión e interacción *Oral*

▶ **La lengua nuestra de cada día:** expresiones, refranes y frases hechas.

▶ **Hablando se entiende la gente:** La clonación humana: el mito de Prometeo.

▶ **Tertulia.**

Recuerda Gramatical ▶ Pronombres relativos.

Unidad 2

Félix de Azúa
(1944)

DATOS BIOGRÁFICOS

Poeta, novelista y ensayista nacido en Barcelona. Es doctor en Filosofía, catedrático de Estética en la Escuela de Arquitectura de la UPC (Universidad Politécnica de Catalunya) y colaborador habitual del diario *El País*. En 1970 fue incluido en la antología de Josep María Castellet, *Nueve novísimos poetas españoles*. A principios de los 90 fue director del Instituto Cervantes de París, cargo del que dimitió poco después. Es considerado como uno de los poetas más herméticos de toda su generación. Experimental en sus inicios, se ha ido decantando hacia una literatura de corte más tradicional no carente de elementos irónicos y críticos.

SU OBRA

Su poesía, que transmite cierto tono de frialdad, gira sobre los ejes temáticos del vacío y la nada. Comenzó publicando libros de poemas, que más tarde reunió en el volumen *Poesía (1968-1989)*. Tras publicar *Historia de un idiota contada por él mismo* (1986) adquiere reconocimiento como novelista. Con *Diario de un hombre humillado* (1987), obtiene el Premio Herralde. Su producción novelística continúa con obras como *Demasiadas preguntas* (1994) y *Momentos decisivos* (2000). Entre su amplia producción ensayística destacan *Los ensayos de Baudelaire* (1978), *La Venecia de Casanova* (1990), y *La invención de Caín* (2001).

Salidas de tono

Los que siempre hemos vivido en ciudades olvidamos con sorprendente frecuencia que en ellas solo habita una parte, aunque no pequeña, de la población. Estamos ya tan hechos a servir al monstruo, a la metrópoli, que no comprendemos cuán inmensa es la diferencia que nos separa de la vida aldeana. A veces, empujados por la masa en la que estamos fundidos, zarandeados por un apretujamiento, embutidos en un transporte público, o espantados por la pesadilla mecánica de las calzadas, nos sobrecoge la nostalgia de una vida pueblerina, en la que (creemos) es posible el intercambio sosegado, el comercio razonable, la distracción serena. Esta nostalgia es muy peligrosa, y resulta de una grave confusión.

Y es que cuando asalta el recuerdo, la reminiscencia, suele hacerlo bajo una forma desnuda, ideal, como sueño de un futuro imposible. Pero nunca hubo, en realidad, tal vida pueblerina ideal, soñada, quimérica. Muy al contrario; es donde se fraguan las mayores brutalidades, los crímenes más atroces, y en donde pervive la intolerancia, capitaneada todavía hoy por el cura párroco, el propietario feudal, o el jefe de célula.

La ciudad, por monstruosa que sea, nació como remedio para la escuálida vida pueblerina del XIX, y cualquiera que se interese por lo que en verdad y de verdad era la vida rural a principios de siglo no tiene más que leer a Balzac, a Flaubert, a Dickens, a Jane Austen, a Valera o a Clarín, para darse cuenta de que el anonimato ciudadano, la disolución de la propia personalidad en la masa urbana y la imperiosa necesidad de llegar a acuerdos con vecinos absolutamente desconocidos, significó la destrucción de una vida mezquina, basada en el chivatazo y el garrote, la adulación y la hipocresía.

Hay, claro está, ciudades privilegiadas que han logrado superar los horrores morales de la vida aldeana, sin por ello perder las ventajas de un espacio abierto, despilfarrado, cómodo. Son muy pocas y muy caras. En España quizá solo tenga ese carácter la ciudad de San Sebastián, extravagante cruce de balneario para madrileños, parque de atracciones comarcal y capital burocrática de Guipúzcoa. Un verdadero milagro en una nación triturada por la codicia de la gente que ganó la guerra, una gente notablemente salvaje y analfabeta. Pero, aparte de este caso,, nuestras ciudades han sufrido la transformación que impuso una tiranía regentada durante cuarenta años con mentalidad ruraloide. Cuando vemos nuestras espantosas ciudades, los disparates, las ruindades, la mentecata ordenación, es preciso tener en cuenta que el General y sus mamelucos no eran hombres de ciudad. Eran la representación exacta del espíritu rural, feudal, clericalón y cicatero de los pueblos españoles isabelinos. Trataron las aglomeraciones urbanas como un contratista de pueblo interesado tan solo en corromper al secretario del ayuntamiento para levantar dos pisos más de lo debido, o enterrar una ermita románica sin que proteste el obispo pidiendo su pellizco. Esa es la terrible confusión: no entendemos que lo espantoso de la ciudad es lo que tiene de pueblo. Y queremos irnos a un pueblo.

Durante cuarenta años se construyó y urbanizó como si las ciudades fueran aldeas: grupos de casonas entre campos de labranza y cochiqueras. Pero una idiotez arquitectónica en un pueblo es relativamente fácil de subsanar. En las ciudades los afectados son millones; y la vuelta atrás, imposible. Vivimos ahora en ciudades que son libros abiertos en los que se lee y se ve con toda nitidez la encarnación real, el aspecto sincero y cierto del alma, del espíritu, del pensamiento franquista. Eso que vemos ahí, esos bloques desconchados, esas calzadas teñidas de humo grasiento, esas callejas malolientes, eso es, en su imagen visible, evidente, ciertísima, el pensamiento de la derecha española durante cuarenta años. Ése es su verdadero rostro. El otro es retórico.

De manera que no resulta extraño que nos sobrecoja el espanto y queramos escapar de la ciudad aunque sea a un pueblo, aunque sea al pasado, aunque sea al horror de la vida aldeana del siglo XIX. Pero es una confusión. Porque de lo que queremos huir no es de la ciudad, sino de la imagen de la tiranía. Queremos huir del constante ataque del retrato del dictador, presente en todas partes, ocupando la totalidad de la ciudad, vigilando desde aquella fachada, aquella alcantarilla, aquel barrio basurero, aquel edificio singular.

Azúa, F. de: *Salidas de tono* (adaptado),
Anagrama, Barcelona.

1. Señala si es verdadero (V) o falso (F) según el texto.

V F

1. La nostalgia de la vida serena es peligrosa para los habitantes de la ciudad porque les produce una irremediable confusión. ☐ ☐ √

2. La vida en la ciudad nos permite liberarnos de las atrocidades de la vida rural. ☑ ☐ F

3. Los escritores del siglo XIX nos muestran que el anonimato ciudadano nos abocó a una vida mezquina, basada en el chivatazo y el garrote, la adulación y la hipocresía. ☐ ☑ F

4. El General y sus acólitos, al ser la representación exacta del espíritu rural, convirtieron las ciudades en una burda imitación del medio del que provenían. ☑ ☐ √

5. Las ciudades en las que vivimos reflejan claramente el pensamiento franquista. ☐ ☐ F

2. Elige la opción correcta.

1. **Las ciudades españolas, salvo alguna rara excepción...**

a. sirven de balneario para los madrileños.

b. han sido modeladas con mentalidad ruraloide.

c. han sido trazadas por contratistas de pueblo.

2. **No queremos huir de la ciudad, sino...**

a. del horror de la vida aldeana.

b. de la permanente huella de la dictadura en todos sus rincones.

c. de los basureros y alcantarillas construidos por el dictador.

3. Las ciudades actuales. **¿Reflejo de qué?**

1. Resume brevemente la idea que transmite Félix de Azúa en el texto.

2. ¿Estás de acuerdo con lo que dice?

3. Justifica tu respuesta.

léxico

1. Relaciona las palabras del texto con sus sinónimos.

2. Encuentra el antónimo.

1.	aldeano		a.	ruin
2.	zarandeado		b.	ilusión
3.	espantarse		c.	estupefacto
4.	sobrecogido		d.	forjar
5.	nostalgia		e.	recuerdo
6.	reminiscencia		f.	disgregar
7.	quimera		g.	pueblerino
8.	fraguar		h.	excéntrico
9.	disolver		i.	avaricia
10.	imperioso		j.	fingimiento
11.	mezquino		k.	asustarse
12.	chivato		l.	delator
13.	adular		m.	agitado
14.	hipocresía		n.	añoranza
15.	despilfarrar		ñ.	urgente
16.	extravagante		o.	halagar
17.	codicia		p.	derrochar
18.	mentecato		q.	cultivo
19.	labranza		r.	pocilga
20.	cochiquera		s.	necio

1.	reminiscencia		a.	unir
2.	quimera		b.	sinceridad
3.	disolver		c.	civilizado
4.	hipocresía		d.	ahorrar
5.	despilfarrar		e.	exhumar
6.	levantar		f.	diminuto
7.	inmenso		g.	perjudicar
8.	salvaje		h.	olvido
9.	enterrar		i.	derribar
10.	subsanar		j.	realidad

¿y tú?

3. Contesta a las preguntas.

- ¿De qué sientes *añoranza*?
- ¿Qué cosas te dejan *estupefacto*?
- ¿Cómo definirías a una persona *excéntrica*?

4. Completa las frases con las palabras del vocabulario. Haz las transformaciones necesarias.

> pueblerino
> reminiscencia
> labranza
> añoranza
> despilfarrador

> hipocresía
> codicia
> subsanar
> espantarse
> excéntrico

> ahorrar
> imperiosa
> derribar
> quimera
> sobrecoger

> exhumar
> necias
> estupefacto
> fraguar
> disolver

1 ▶ Para mí la .... es uno de los defectos que no puedo perdonar.

2 ▶ Poseía muchas tierras de .... que vendió a la muerte de sus abuelos.

3 ▶ En el fondo es un tipo muy ...., a pesar de los años que lleva viviendo en la capital todavía conserva las costumbres de su pueblo.

4 ▶ El caballo, al ver al gato, ... y salió a todo galope.

5 ▶ Si quieres que vayamos al Caribe en verano, tienes que ponerte a .... a partir de ahora.

6 ▶ Eres un .... y si sigues así no tendrás nunca donde caerte muerto.

7 ▶ No hagas caso de lo que te diga: "A palabras ...., oídos sordos", que dice el refrán.

8 ▶ La policía, cansada de que los manifestantes insultaran al Presidente, ... la manifestación a palos.

9 ▶ El problema se podrá .... siempre y cuando restituyas el dinero que falta.

10 ▶ Nunca antes había sabido lo que era la .... hasta que decidí emigrar a otro país.

11 ▶ Sin .... el hombre no puede vivir, es lo que lo diferencia de los animales y le hace progresar.

12 ▶ A los dos meses de haberlo enterrado, tuvieron que .... sus restos para hacerle la autopsia, pues los familiares sospechaban que había sido envenenado.

13 ▶ Estaban siempre hablando en voz baja, y aunque trataban de disimular, era seguro que estaban .... algo contra ella.

14 ▶ No podía dar crédito a mis oídos, la noticia me dejó totalmente ....

15 ▶ A su muerte se desató la .... entre sus herederos, todos querían llevarse la mejor parte del pastel.

16 ▶ A pesar de ser un tipo tan ...., a mí me cae muy bien.

17 ▶ Tenía una necesidad .... de decirle lo que pensaba de él y quedarme tranquila de una vez por todas.

18 ▶ Nos .... a todos el hecho de que el ayuntamiento decidiera .... el edificio donde habían vivido nuestros antepasados.

19 ▶ Su rostro me traía .... de un pasado lejano y doloroso que trataba de olvidar a toda costa.

5. ¿Cómo es tu ciudad? Descríbela con las palabras que aparecen a continuación.

▪ despilfarrar   ▪ civilizado   ▪ subsanar   ▪ realidad   ▪ inmenso

Comprensión Auditiva

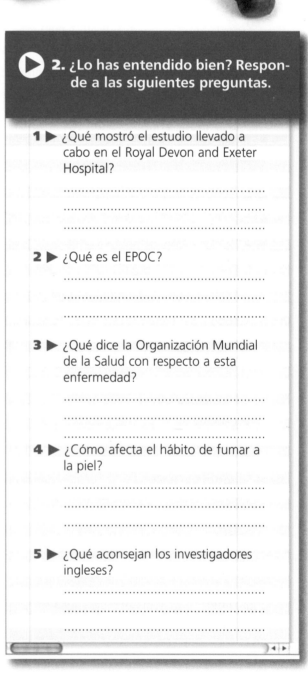

▶ **Salud en riesgo**

1. Escucha lo que han descubierto en el siguiente estudio sobre la relación entre la piel y el tabaco y di si las siguientes afirmaciones son verdaderas (V) o falsas (F).

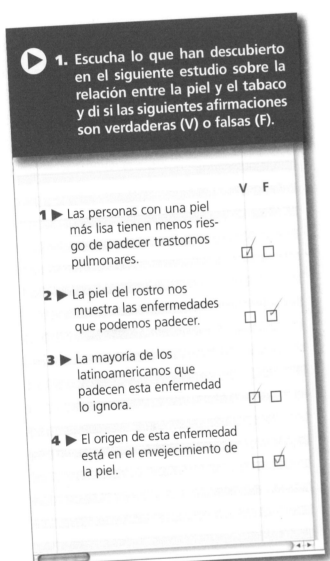

	V	F
1 ▶ Las personas con una piel más lisa tienen menos riesgo de padecer trastornos pulmonares.	☑	☐
2 ▶ La piel del rostro nos muestra las enfermedades que podemos padecer.	☐	☑
3 ▶ La mayoría de los latinoamericanos que padecen esta enfermedad lo ignora.	☑	☐
4 ▶ El origen de esta enfermedad está en el envejecimiento de la piel.	☐	☑

2. ¿Lo has entendido bien? Responde a las siguientes preguntas.

1 ▶ ¿Qué mostró el estudio llevado a cabo en el Royal Devon and Exeter Hospital?
....
....
....

2 ▶ ¿Qué es el EPOC?
....
....
....

3 ▶ ¿Qué dice la Organización Mundial de la Salud con respecto a esta enfermedad?
....
....

4 ▶ ¿Cómo afecta el hábito de fumar a la piel?
....
....
....

5 ▶ ¿Qué aconsejan los investigadores ingleses?
....
....
....

Competencia Gramatical

1. Completa con el pronombre relativo adecuado. Hay varias posibilidades.

1 ▶ .... *El que, quien* calla, otorga.

2 ▶ .... *los que, quienes* desobedezcan las órdenes serán castigados.

3 ▶ El fontanero *al que / a quien* he llamado vendrá mañana por la mañana.

4 ▶ El libro de terror, *que / el cual* tenía las páginas ya amarillentas, era de su hermano mayor.

5 ▶ El libro, *que / el cual* leía a escondidas, era una historia terrorífica con héroes de ultratumba.

6 ▶ En mi colegio expulsaban a *los que / quienes* pillaban copiando en un examen.

7 ▶ En mi clase había un chico *que* no tenía padres.

8 ▶ En una fiesta conocí a la chica de *la cual / quien* me hablaste.

9 ▶ Esta tarde vamos a ver la película *que* nos recomendaste.

10 ▶ García, a *el que / al cual / a quien* todos tomaban el pelo, era el más empollón de la clase.

11 ▶ Isabel sabía *lo que* estaba en juego en ese momento.

12 ▶ La casa en *que / la que / la cual (donde)* vivíamos estaba lejos del centro.

13 ▶ La mujer, *cuyo* hijo se había perdido entre la multitud, estaba desesperada.

14 ▶ Las hijas de nuestros vecinos, *que / las cuales* antes nos visitaban todas las tardes, dejaron de venir.

15 ▶ Las Matemáticas no eran una asignatura *que* me interesara especialmente.

16 ▶ Las personas en *que / las que / quienes* más confiábamos nos defraudaron.

17 ▶ No creas a *los que / quienes* te digan eso.

18 ▶ No estudiaba mucho por culpa de mis hermanos pequeños, *que / los cuales* siempre me distraían.

19 ▶ No me gustó *lo que* dijo.

20 ▶ Puedes invitar a *al que / a los que / a quien / a quien* te apetezca.

2. Transforma las siguientes frases en relativas.

Ejemplo: Uno de esos chicos se acerca sonriente a nosotras.
¿Lo conoces?
¿Conoces a ese chico que se acerca sonriente a nosotras?

1 ▶ Acaba de decir algo. Yo no he entendido nada. *Yo no he entendido nada de lo que acaba de decir.*

2 ▶ Algunos de los trabajadores del puerto fueron despedidos. Esos trabajadores habían participado en la huelga. *que habían participado en la huelga*

3 ▶ Ana ha dicho muchas cosas interesantes. Estoy de acuerdo con Ana. *Estoy de acuerdo con lo que ha...*

4 ▶ El cantante llegó en un coche último modelo. El coche se paró delante del hotel.

5 ▶ Hicimos una reserva *on-line* en uno de esos hoteles de lujo. La publicidad *on-line* del hotel no se correspondía con la realidad.

6 ▶ Mis padres viven en una casa nueva. Esa casa tiene una piscina enorme.

7 ▶ Necesito una chica de servicio. Esa chica debe tener informes.

8 ▶ No veo a menudo a mis antiguos compañeros. Solo a Juan.

9 ▶ Para llegar al pueblo tenemos que pasar por una carretera antigua. Esa carretera está llena de curvas.

10 ▶ Quiero que seáis felices. Nada más.

11 ▶ Trabajan en una empresa muy dinámica. La empresa siempre da beneficios.

12 ▶ Varios artículos son defectuosos. Envíennoslos y les devolveremos el importe.

13 ▶ Vivo en un piso compartido con otra chica. Se llama Isabel.

14 ▶ Voy al aeropuerto a recibir a unos amigos. Nuestros amigos vienen de Alemania a visitarnos.

3. ¿*Ser* o *estar*? Completa el texto en el tiempo y modo adecuados.

Lo primero que sintió Gregorio ⁽¹⁾........................ que ahora temía más la justicia de Antón que la de los jueces. Tanto ⁽²⁾........................ el terror que le inspiraba aquel hombre –su venganza ⁽³⁾........................ terrible cuando descubriese la burla–, que ni siquiera tuvo tiempo de compadecerse de Gil. Había que entregarse, y pronto, porque con el nombre de Faroni aparecido en varios frentes, no tardarían en ir, quizás todos juntos, unidos ahora por el despecho del escarnio, a interrogar a Angelina. (...) Todos contra él. ¡Y qué rechifla se organizaría en el juicio! ¡El gran Faroni!, titularían las crónicas. Y le sacarían chistes, motes y caricaturas. Y luego ⁽⁴⁾........................ el libro, las fotos, los viajes, el prólogo de Hemingway, el biógrafo, su romance con Marlín, sus obras perdidas y tantas otras invenciones. ⁽⁵⁾........................ el hazmerreír de todo el mundo. El rostro se le llenó de lágrimas ante la vergüenza de tener que admitir uno a uno sus muchos embustes, a cual más pretencioso. Y el caso ⁽⁶⁾........................ que él no ⁽⁷⁾........................ un mal hombre, y no se merecía desde luego aquel trato. "Si yo ⁽⁸⁾........................ buena gente", se dijo, pero esa convicción más que consolarlo, le agravaba las penas.

Landero, L.: *Juegos de la edad tardía* (adaptado),
Tusquets, Barcelona.

4. Completa el texto con las palabras que te damos a continuación.

entonces
cualquiera de
cuando
cada
bajo
de modo que
mientras
cuya
sino
puesto que

En los pueblos se sabe todo. La vida de la gente pertenece al acervo común. Desde la pila del bautismo hasta el nicho del cementerio, la parábola que describe la existencia está ⁽¹⁾........................ constante observación. En los pueblos existen unos bancos de datos: el casino, el confesionario, la barbería. En ellos se almacena la biografía de ⁽²⁾........................ uno en forma poliédrica, ⁽³⁾........................ a ⁽⁴⁾........................ los vecinos se le conoce por los cuatro costados y no solo a él, ⁽⁵⁾........................ también a sus antepasados. En el casino, el Gran Hermano se toma un carajillo todas las tardes ⁽⁶⁾........................ juega al tute. No existe escapatoria. Esa tupida red de información ha creado una manera ⁽⁷⁾........................ sustancia es la cautela. Cuando un forastero llega al pueblo siente que al cruzar una calle desierta se van abriendo sucesivos ventanucos a sus espaldas. [...]. Lo mismo sucede en las pequeñas ciudades. Bajo las lentas campanadas de la iglesia se apartan discretamente los visillos de los miradores ⁽⁸⁾........................ unos pasos suenan en la acera. [...] El anonimato de la gran ciudad fue la primera revolución. Cuando la gente dejó de reconocerse en las calles populosas, los rostros se convirtieron en máscaras y ⁽⁹⁾........................ el espíritu humano cambió de esencia. Durante varios siglos en las grandes ciudades reinó este maravilloso baile entre desconocidos, pero hoy los medios de información, de espionaje y de comunicación nos han obligado a todos a ser de pueblo otra vez. Los vídeos ocultos, los microtransistores, las células fotoeléctricas han sustituido a la solterona que nos atisbaba desde el mirador isabelino, al ventanuco siciliano que se abría en la calleja desierta cuando cruzaba un recién llegado. La transparencia está generando una nueva moral ⁽¹⁰⁾........................ si la intimidad ya es irrecuperable lo más sensato será acomodar para siempre nuestras costumbres a la microelectrónica que es el nuevo espacio de la libertad.

Vicent, M.: *Mirador* (adaptado),
El País.

5. ¿Qué preposición falta?

1 ▶ Ya estamos hechos .... la crisis, así que esta nueva subida del petróleo no nos pilla de sorpresa.

2 ▶ La distancia que me separa .... ella no es solo física, diferimos .... muchísimas cosas.

3 ▶ Me vi empujado .... las circunstancias a actuar como lo hice, pero no estoy tratando de justificarme.

4 ▶ Cuando apareció en la sala .... su llamativo vestido rojo, todos los ojos se posaron en ella instintivamente.

5 ▶ Los vecinos salieron espantados .... el fuego que se había propagado .... el tercer piso del inmueble.

6 ▶ La mayoría de los seres humanos tenemos el sueño de vivir .... trabajar, o trabajar lo menos posible.

7 ▶ No tengo remedio .... tus males, lo mejor será que visites a un psicólogo.

8 ▶ Sólo algunos privilegiados no tienen la necesidad .... trabajar para vivir.

9 ▶ Teníamos que llegar .... entendernos fuera como fuera, ya que colaborábamos en el mismo proyecto.

10 ▶ Hablábamos por teléfono tranquilamente cuando hubo un cruce .... líneas y un desconocido intervino en nuestra conversación.

11 ▶ Es una mujer .... mucho carácter, así que no es fácil llevarle la contraria.

12 ▶ A mí me gusta la gente sencilla, ... pueblo.

13 ▶ Mire, estoy interesada .... encontrar un piso grande y soleado, el precio es lo de menos.

14 ▶ Lo malo .... tener un coche tan grande es que no puedes encontrar aparcamiento fácilmente.

15 ▶ Lo que me fascina de algunas personas es lo que tienen .... ingenuas.

16 ▶ No te preocupes de nada, eso es fácil .... solucionar.

17 ▶ De vez .... cuando es necesario escapar .... un lugar donde nadie te conozca.

18 ▶ Huir .... lo que te rodea no soluciona ningún problema.

6. ¿*Indicativo* o *subjuntivo*? Completa el texto de Villa-Matas con los tiempos y modos adecuados.

También en los años setenta, cuando yo *(estar)* [(1)]..................... en París (...) el futuro *(ser)* [(2)]..................... un espejismo, pero me *(negar)* [(3)]..................... a aceptarlo. Como *(ser)* [(4)]..................... joven, *(sentir)* [(5)]..................... que *(tener)* [(6)]..................... la obligación de creer que *(tener)* [(7)]..................... futuro, aunque éste no lo *(ver)* [(8)]..................... muy claro. Por otra parte, tanto simular desesperación me *(llevar)* [(9)]..................... a pasarme días enteros desesperado de verdad, *(ver)* [(10)]..................... todo oscuro, muy negro el porvenir. Mi juventud *(comenzar)* [(11)]..................... a parecerse a lo que antes *(llamar)* [(12)]..................... desesperación en negro. Esa desesperación –a veces fingida y otras realmente vivida– *(ser)* [(13)]..................... mi compañía más fiel y constante a lo largo de los dos años que *(vivir)* [(14)]..................... en París. Muchas veces, una repentina lucidez que *(parecer)* [(15)]..................... surgir de mi desesperación menos fingida me *(decir)* [(16)]..................... que *(estar)* [(17)]..................... enterrando mi juventud en la buhardilla. La juventud es extraordinaria, *(pensar)* [(18)]....................., y yo la tengo sofocada viviendo una bohemia que no me conduce a nada.

Un día, a través del ensayo de Cozarinsky sobre Borges y el cine, *(descubrir)* .....(19)..... al autor de *El Aleph*. *(Comprar)* .....(20)..... sus cuentos en la Librería Española y leerlo fue toda una revelación para mí, *(impresionar, a mí)* .....(21)..... mucho, sobre todo, la idea –hallada en uno de sus cuentos– de que tal vez no *(existir)* .....(22)..... el futuro. *(Ser)* .....23..... la misma que *(encontrar)* .....(24)..... en el libro de Miller sobre Rimbaud. *(Quedar)* .....(25)..... de nuevo perplejo ante esa negación del tiempo, en este caso ante la refutación del tiempo que *(poder)* .....(26)..... encontrarse en un escrito sobre el Orbis Tertius, el axioma más importante de las escuelas filosóficas. Según ese axioma, el futuro solo tiene una realidad en la forma de nuestros miedos y esperanzas presentes, y el pasado solo tiene realidad meramente como recuerdo.

El pasado es siempre un conjunto de recuerdos, de recuerdos muy precarios, porque nunca son verdaderos. Acerca de esto le *(oír)* .....(27)..... decir algo muy bello y conmovedor a Borges. Se lo *(oír)* .....(28)..... decir en una conferencia secreta que él *(dar)* .....(29)..... en Zékian, una librería clandestina que *(hallarse)* .....(30)..... en la segunda planta de una casa de la rue Littré. *(Ser)* .....(31)..... el propio Cozarinsky quien *(poner, a mí)* .....(32)..... en la pista de esa librería secreta.

Villa-Matas, E.: *París no se acaba nunca* (adaptado),
Anagrama, Barcelona.

Por qué, Porque, Porqué, Por que,

▶ **POR QUÉ:** preposición + pronombre interrogativo.
Se utiliza para preguntar la causa o motivo de una acción: *¿Por qué lo has hecho?*

▶ **PORQUE:** conjunción causal.
Otras conjunciones y locuciones causales son: *como, pues, dado que, puesto que, ya que,* etc.
Me voy porque tengo prisa.

▶ **PORQUÉ:** sustantivo.
Significa, según el Diccionario de la Lengua de la Real Academia Española: "causa, razón o motivo".
Dime el porqué de tu comportamiento.

▶ **POR QUE:** preposición + relativo.
Equivale a *por el cual, por la cual, por los cuales* o *por las cuales.*
Esta es la razón por que te escribo.

7. ¿Por qué, porque, porqué o por que?

1 ▶ ¿Te has enfadado con él .... no te ha llamado el fin de semana?

2 ▶ No tienes .... darle tantas explicaciones.

3 ▶ Todavía me pregunto el .... de su actuación.

4 ▶ ¿......................... lugares pasasteis en vuestro viaje a Galicia?

5 ▶ No recuerdo todos los pueblos .... (los) .... pasamos.

6 ▶ ¿ .... no te acuestas un rato y descansas?

7 ▶ Le ofrecieron a él el puesto .... tiene el servicio militar cumplido.

8 ▶ No sé .... , pero a estas edades los niños preguntan el .... de todo.

9 ▶ Estas son las razones .... (las) .... he dimitido.

10 ▶ ¿......................... razón quieres marcharte de casa?

11 ▶ Estoy preocupado. No sé .... no contesta al teléfono.

12 ▶ No voy a hacerlo simplemente .... lo digas tú.

13 ▶ ¿......................... no te ha llamado aún te preocupas? Es pronto todavía.

14 ▶ ¿Y ése es el motivo .... (el) .... no os habláis desde hace tanto tiempo?

15 ▶ No respondas a mis preguntas contestando .... sí y .... no a todo.

8. Elige la opción correcta.

1 ▶ He venido no .... me hayas llamado, sino .... me apetecía.
    a. por que
    b. porque
    c. por qué

2 ▶ Me preocupa bastante .... es demasiado joven para tomar esas decisiones.
    a. por qué
    b. porque
    c. por que

3 ▶ No necesitas explicarme el .... de tu enfado conmigo. Ya está todo aclarado.
    a. porqué
    b. por qué
    c. porque

Expresión e interacción
Escrita

Antes de nada ▼

edelsa
GRUPO DIDASCALIA, S.A.
Plaza Ciudad de Salta, 3 - 28043 MADRID - (ESPAÑA)
TEL.: (34) 914.165.511 - (34) 915.106.710
FAX: (34) 914.165.411
e-mail: edelsa@edelsa.es - www.edelsa.es

EL ENCABEZAMIENTO

Se compone de: **membrete**, **fecha**, **nombre y dirección del destinatario**, **referencias**, **asunto**, **línea de atención**, **saludo**.

MEMBRETE (datos del remitente o quien envía la carta: nombre de la persona o razón social de la empresa y dirección). También se puede incluir:

▶ El logotipo de la empresa.

▶ La actividad de la empresa.

▶ El número de teléfono, fax, dirección de internet, etc.

▶ El código de identificación fiscal (CIF).

▶ La dirección de correo electrónico y/o la página web.

Nota: muchas empresas utilizan un papel en el que constan ya todos estos datos.

¡ACCIÓN!

¡No hay derecho!

Escribe una carta de protesta.

▶ En la ciudad donde vives, muy cerca de tu casa, existen unos terrenos pertenecientes al Ayuntamiento que están sin urbanizar. Por un periódico local te has enterado de que dicho Ayuntamiento piensa venderlos a una fábrica de plásticos. Escribe una carta de protesta (en el tono y estilos apropiados) al alcalde en la que tienes que:

▶ Identificarte y decir en qué zona o barrio vives.

▶ Explicar cómo has conocido la noticia.

▶ Exponer los hechos, hablar del impacto medioambiental que crees que se va a producir y expresar tu preocupación por el hecho.

▶ Proponer que los terrenos se dediquen a otros fines, como jardines, parque infantil, centro para la juventud, etc.

▶ Despedirte expresando confianza en que tus deseos serán considerados.

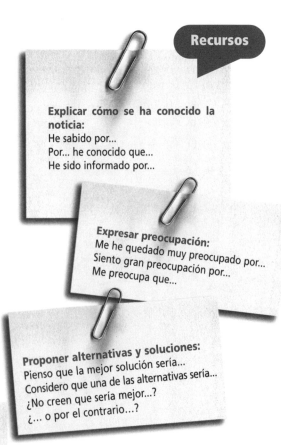

Recursos

Explicar cómo se ha conocido la noticia:
He sabido por...
Por... he conocido que...
He sido informado por...

Expresar preocupación:
Me he quedado muy preocupado por...
Siento gran preocupación por...
Me preocupa que...

Proponer alternativas y soluciones:
Pienso que la mejor solución sería...
Considero que una de las alternativas sería...
¿No creen que sería mejor...?
¿... o por el contrario...?

Expresar confianza:
Confío en que...
Estoy seguro de que...
En la confianza de que...

¡ACCIÓN!

La ciudad, ¿remedio para la vida en el pueblo?

Expón tu punto de vista.

"La ciudad, por monstruosa que sea, nació como remedio para la escuálida vida pueblerina del XIX."

Félix de Azúa

Recursos

▶ Escribe un texto expositivo (150-200 palabras) tratando los siguientes temas:

▶ ¿Cómo se han ido formando las grandes conglomeraciones urbanas?

▶ ¿Qué problemas han solucionado?

▶ ¿Han aparecido problemas que antes no existían?

▶ ¿Cuál es la tendencia para un futuro más o menos próximo?

Presentación del tema: a continuación, seguidamente, etc.

Exposición del tema: en primer lugar quiero decir, voy a demostrarles, la verdad es que, voy a hablar de, etc.

Explicación del tema: como por ejemplo, como se dice en, etc.

Reformular: dicho de otro modo, en otras palabras, a saber, etc.

Destacar, poner de relieve: quiero recalcar, conviene destacar, me consta que, cabe subrayar, hay que insistir en, etc.

Conclusión y reflexión final: en conclusión, para finalizar, en suma, a modo de conclusión, etc.

La lengua nuestra *de cada día*

Cada oveja con su pareja

1. Relaciona las expresiones con su definición.

1 ▶ Sin ton ni son.

2 ▶ Más vale pájaro en mano que ciento volando.

3 ▶ Desde que el mundo es mundo.

4 ▶ Echar leña al fuego.

5 ▶ A pedir de boca.

a ▶ Es mejor lo poco pero seguro, que lo mucho pero incierto.

b ▶ Avivar una discordia.

c ▶ Sin motivo ni fundamento.

d ▶ Desde siempre.

e ▶ Todo lo bien que cabe desear.

¿A que no sabes?

2. Completa los huecos en blanco con una expresión del ejercicio anterior.

1 ▶ Nos pasamos toda la reunión discutiendo sobre asuntos del trabajo. Ana y Carlos comenzaron a enfadarse en serio porque ellos querían hacer las cosas a su manera. María les dijo que eran unos arrogantes y yo, como no quería .... *echar leña al fuego* ...., me quedé callada, pero la verdad es que estoy totalmente de acuerdo con María.

2 ▶ Noelia decidió celebrar su 30 cumpleaños en casa. Preparó una cena magnífica. Allí nos reunimos todos los amigos y cuando estábamos preparados para brindar, Ernesto, ... *sin ton ni son* ...., se levantó y se fue sin decir nada. ¡Nos quedamos de piedra!

3 ▶ Los padres de Sara son muy conservadores y siempre dicen lo mismo: "En nuestro pueblo, ... *desde que el mundo es mundo* ...., las cosas se han hecho de la misma manera, con lo cual no vamos a cambiar ahora. Preferimos seguir con nuestras tradiciones, ya somos muy mayores para aceptar cosas nuevas."

¡Como un español!

3. Prepara un pequeño diálogo entre dos amigos en el que aparezcan, al menos, tres de las anteriores expresiones.

Expresión e interacción *Oral*

Hablando **se entiende la gente**

La clonación humana: el mito de Prometeo

Lee las informaciones siguientes.

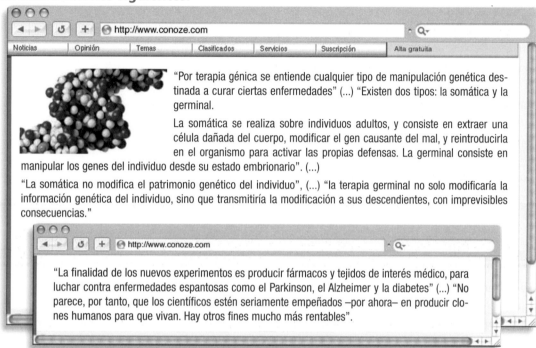

"Por terapia génica se entiende cualquier tipo de manipulación genética destinada a curar ciertas enfermedades" (...) "Existen dos tipos: la somática y la germinal.

La somática se realiza sobre individuos adultos, y consiste en extraer una célula dañada del cuerpo, modificar el gen causante del mal, y reintroducirla en el organismo para activar las propias defensas. La germinal consiste en manipular los genes del individuo desde su estado embrionario". (...)

"La somática no modifica el patrimonio genético del individuo", (...) "la terapia germinal no solo modificaría la información genética del individuo, sino que transmitiría la modificación a sus descendientes, con imprevisibles consecuencias."

"La finalidad de los nuevos experimentos es producir fármacos y tejidos de interés médico, para luchar contra enfermedades espantosas como el Parkinson, el Alzheimer y la diabetes" (...) "No parece, por tanto, que los científicos estén seriamente empeñados –por ahora– en producir clones humanos para que vivan. Hay otros fines mucho más rentables".

Clonación: ¿en manos de quién?

- Sois un grupo de investigadores que os reunís para hablar sobre el tema de la clonación humana.
- Cada uno de vosotros adopta un papel: un investigador, un científico o un médico que está de acuerdo, o no, con alguna de las posturas que hemos leído.
- Según vuestro papel, preparad una intervención para hablar sobre el tema con otros profesionales.

Prepara tu intervención. ▶ Busca información sobre cuestiones relacionadas con la clonación como la terapia genética, los nuevos experimentos para producir fármacos, enfermedades como el Parkinson y el Alzheimer. Toma notas para participar después en la tertulia según el papel que elijas. www.conoze.com / www.redcientifica.com

Tertulia

▶ En la mesa redonda cada uno tendrá que:

- ▶ Discutir sobre la clonación de seres humanos en un futuro no lejano.
- ▶ Problemas éticos y religiosos que puede plantear la clonación.
- ▶ Las ventajas que este hecho aportaría a la humanidad e inconvenientes que se podrían derivar de ello.

Recursos

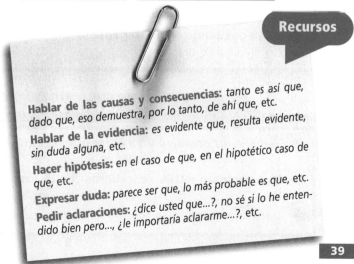

Hablar de las causas y consecuencias: tanto es así que, dado que, eso demuestra, por lo tanto, de ahí que, etc.

Hablar de la evidencia: es evidente que, resulta evidente, sin duda alguna, etc.

Hacer hipótesis: en el caso de que, en el hipotético caso de que, etc.

Expresar duda: parece ser que, lo más probable es que, etc.

Pedir aclaraciones: ¿dice usted que...?, no sé si lo he entendido bien pero..., ¿le importaría aclararme...?, etc.

QUE

▶ **Se refiere a persona, animal o cosa ya nombrada.**

▶ **Introduce frases especificativas y explicativas:**
Los chicos que estaban cansados se fueron a dormir temprano (= solo los cansados).
Los chicos, que estaban cansados, se fueron a dormir temprano (= todos).

▶ **Si va con preposición suele llevar artículo para relacionarlo con su antecedente:**
Estos son los amigos con los que voy de vacaciones todos los años.

▶ **Si no lleva preposición, normalmente va sin artículo:**
El chico que me saludó se llama Jorge.

▶ **Suele llevar artículo con el verbo *ser*:**
Fue Isabel la que compró el regalo para Pilar.

▶ **Si suprimimos el nombre, es necesario artículo + *que*:**
El que me saludó se llama Jorge.

▶ **Con el artículo neutro *lo*, significa *la cosa que*:**
Lo que importa es que estás bien.

EL / LA / LOS / LAS QUE

▶ **Se refiere a personas o cosas ya nombradas. Aparece con preposición:**
Esta es la chica con la que salgo desde hace un año.

▶ **Se refiere a personas o cosas que no nombramos porque ya se conocen por el contexto:**
De los (libros) que he leído hasta ahora, éste es el que más me ha gustado.

▶ **Se usa cuando generalizamos sobre personas, no de forma explícita. Alterna con *quien*:**
El que diga eso, no sabe lo que está diciendo.

▶ **En frases del tipo: cuantificador + *de* + relativo especificativas:**
Muchos de los que vinieron eran amigos de Luna.

▶ **Se refiere a personas en construcciones del tipo: *todo* + relativo:**
Todo el que quiera participar, tendrá que apuntarse en la lista.

QUIEN / QUIENES

▶ **Se refiere únicamente a personas.**

▶ **Puede sustituir a *el que*:** *Llegó el profesor de quien me hablaste.*

▶ **Aparece cuando el antecedente de persona no está explícito:**
No encuentro quien me cuide a los niños este verano.

CUYO / CUYA / CUYOS / CUYAS

▶ **Tiene valor posesivo y va entre dos sustantivos, concertando con el segundo:**
La señora cuyos hijos van conmigo a clase se ha comprado un coche nuevo.

▶ **El pronombre relativo concuerda con la cosa poseída, no con el antecedente:**
Los niños cuya madre está hablando con Teresa son mis vecinos.

▶ **Generalmente se usa solo en la lengua escrita o formal.**

EL, LA, LO CUAL / LOS, LAS CUALES

▶ **Se refiere a persona, animal o cosa. Necesita antecedente.**

▶ **Siempre lleva artículo y suele usarse con preposición.**

▶ **Solo en oraciones explicativas.**

▶ **Aparece preferentemente con el neutro** *lo*:
La empresa quebró, por lo cual muchos trabajadores se quedaron en paro.

▶ **Su uso es frecuente si va precedido por una preposición:** *por lo cual, con lo cual, según lo cual, ante lo cual, etc.*

▶ **En frases del tipo: cuantificador +** *de* **+ relativo explicativas:**
Vinieron muchos ministros, varios de los cuales llegaron aquella misma noche.

LO QUE

▶ **Se refiere a cosas cuyo género no está determinado, a conjuntos de cosas, conceptos, etc.**
Lo que quiero es que me digas la verdad.

▶ **En frases del tipo: cuantificador +** *de* **+ relativo especificativas:**
Mucho de lo que tiene no le pertenece a él.

▶ **En frases del tipo:** *todo* **+ relativo especificativas:** *Todo lo que trajo fue una botella de vino tinto.*

LO CUAL

▶ **Se refiere a acciones, frases o conceptos conocidos o supuestos** (sin preposición)**, en frases explicativas:** *Empezó a llover, en vista de lo cual, no fuimos de excursión.*

▶ **Se refiere a acciones, frases o conceptos conocidos o supuestos** (solo en registros cultos)**:**
Eso es algo para lo cual estamos perfectamente capacitados.

▶ **En frases del tipo: cuantificador +** *de* **+ relativo explicativas:**
Han pasado cosas increíbles, muchas de las cuales no tienen explicación lógica.

▶ **En frases del tipo:** *todo* **+ relativo explicativas:**
Trajo una empanada y algunas cosas para picar, todo lo cual desapareció en un santiamén.

FRASES RELATIVAS

▶ **Oraciones explicativas:**
a. Expresan una característica del antecedente. Son innecesarias para la total comprensión de lo comunicado.
b. Van entre comas (,).
c. Van en indicativo.
Los alumnos, que han aprobado, obtendrán el diploma (= todos).

▶ **Oraciones especificativas:**
a. Especifican, concretan o precisan el objeto u objetos a que se refiere el antecedente. Son necesarias para que la información tenga sentido completo.
b. Pueden ir en indicativo, en subjuntivo (cuando el antecedente es desconocido) o en infinitivo (cuando equivale a una oración final).
Los alumnos que han aprobado obtendrán el diploma (= una parte) / *Quiero una casa que tiene ventanas grandes* / *Quiero una casa que tenga ventanas grandes* / *No tengo nada que comer.*

Unidad 3

Comprensión *Lectora*

▶ **Vicente Verdú:** *El estilo del mundo: ética y cosmética.*

▶ **Más de cerca:** actividades y estrategias de control de la comprensión.

▶ **Enriquece tu léxico:** actividades y estrategias para ampliar el vocabulario.

Comprensión *Auditiva*

▶ **Entrevista a Javier Vázquez:** *El as del fútbol.*

▶ Actividades y estrategias de control de la comprensión.

Competencia *Gramatical*

Contenidos propios de la unidad
▶ Oraciones causales, consecutivas y temporales.

Contenidos generales
▶ Contraste *ser / estar.*

▶ Completa con las palabras y expresiones de la lista.

▶ Preposiciones.

▶ Tiempos y modos verbales.

Algo más
▶ Uso de preposiciones y locuciones preposicionales en sentido figurado: *sobre, bajo, ante, tras; encima de, debajo de, delante de, detrás de; encima, arriba, debajo, abajo,* etc.

Expresión e interacción *Escrita*

▶ **Escribir una carta** para presentar, exponer un problema y expresar deseos. Adverbios y expresiones útiles.

▶ **Redactar un informe.** El planeta en peligro: El Amazonas

Expresión e interacción *Oral*

▶ **La lengua nuestra de cada día:** expresiones, refranes y frases hechas.

▶ **Hablando se entiende la gente:** Solos y solas, pero contentos.

▶ **Tertulia.**

▶ Oraciones causales, consecutivas y temporales.

Unidad 3

Vicente Verdú

(1942)

DATOS BIOGRÁFICOS

Escritor y periodista nacido en Elche (Alicante). Se doctoró en Ciencias Sociales. Escribe regularmente en el periódico *El País*, en el cual ha sido jefe de opinión y de cultura. Este escritor y periodista ha viajado a las profundidades de la sociedad contemporánea y desde ahí ha observado sus reacciones. Es uno de los más agudos investigadores de los fenómenos contemporáneos.

SU OBRA

Entre sus libros figuran *Noviazgo y matrimonio en la burguesía española*, en colaboración con Alejandra Ferrándiz, *El fútbol, mitos, ritos y símbolos, El éxito y el fracaso, China superstar, Señoras y señores, Si usted no hace regalos le asesinarán, Héroes y vecinos, Días sin fumar, Cuentos de matrimonios, El planeta americano* –por el que obtuvo el Premio Anagrama de Ensayo– y *El estilo del mundo. La vida en el capitalismo de ficción* es un ensayo en el que muestra los distintos aspectos que definen la vida en el mundo occidental.

El estilo del mundo: ética y cosmética

La revista *Business Ethics* publica anualmente la lista de los cien mejores ciudadanos-empresarios, entendiendo por tales no solo aquellos que triunfan individualmente, sino que contribuyen ostensiblemente al bienestar común. Porque hacer negocios y hacer el bien, ganar dinero y hacerlo ganar a los demás, constituye el centro de la convicción que asumieron los padres fundadores norteamericanos y predicó Adam Smith hace doscientos años. Triunfar en la actividad mercantil es, en el mundo protestante, ser un elegido de Dios. Hay capitalistas corruptos, claro está, pero sobre ellos pesará su conducta fementida y antipática. Hasta el siglo XIX la monarquía británica sólo otorgaba licencia a las sociedades que declararan su interés por el bien general. Hacer buenos negocios en la tradición puritana va unido a hacer algo bueno para todos [...]. La última forma de ser célebre es convertirse en benefactor.

La unión de una buena firma con una causa honrada es ley en el capitalismo de ficción. La empresa, además de una gestión competente, necesita de la buena consideración. Los viejos temores al éxito del movimiento obrero han sido reemplazados, en las estafas capitalistas, por el temor a la opinión pública. Una mala imagen pública en el aspecto moral es hoy tan peligrosa que con toda razón existen *auditorías éticas* para respaldar o corregir públicamente el cumplimiento de la norma SA8000, que preceptúa la libertad sindical, un salario mínimo vital, razonables condiciones de higiene y de seguridad, etcétera.

En lo fundamental, la mayor parte de las empresas actuales no se comportan de manera muy distinta de las de hace treinta años, pero las más visibles han pedido someterse a un diagnóstico ético para, una véz declaradas "limpias", hacerse querer. O hacerse perdonar mediante expiaciones públicas alguna maniobra nefanda. Mediante un dispositivo que ata la transacción al don, el comercio a la claridad y la limosna al precio, productores y consumidores se autosatisfacen y la marca sale ganando como sorprendente productora de bondad.

El "*marketing* con causa", este *marketing* del corazón, transforma en moralidad la compra, baña el capital de una luz humanitaria y exime, de paso, al consumidor de culpas.

Los antiguos benefactores norteamericanos fueron los *sobs*, patrones de sinfonías, óperas y ballets, pero ahora los altruistas buscan motivos de mayor popularidad e impacto, como las campañas contra el sida o la lepra. En el capitalismo de producción la lucha contra el sistema se encontraba en manos de la clase obrera; en el capitalismo de consumo el contrapeso de los abusos se fortaleció en las combativas organizaciones de consumidores; en el capitalismo de ficción, los oponentes más incómodos no son los sindicatos ni las sociedades de consumidores, no son la lucha de clases ni las organizaciones de consumidores, sino "la opinión pública". Para neutralizar el comunismo apareció el Estado del bienestar, para domar las quejas de los consumidores apareció el control de calidad, para aplacar a los antiglobalizadores y sensibilizados, cunde el *marketing* con causa.

Existe además, dentro del capitalismo de ficción, lo que se conoce como "dinero ético", una invención fantástica dentro del mercado de la virtud. Cualquier ciudadano ahorrador puede exigir desde hace algunos años que su dinero no se invierta en negocios asociados al armamento, la fabricación de bebidas alcohólicas, al juego, al tabaco o al maltrato de animales, pero, adicionalmente, esos fondos que sortean actividades políticamente incorrectas, destinan parte de sus beneficios a paliar el hambre y la enfermedad del Tercer Mundo, con lo cual el negocio se depura sin cesar. Un producto obtiene la etiqueta de "justo" si cumple los mencionados requisitos de la norma SA8000, reconocida por Naciones Unidas. El capitalismo alcanza así la forma o la categoría de una verdadera religión, y sus efluvios rocían a la humanidad para su mejoramiento continuo a través del dinero.

El comercio justo, el quehacer humanitario, el precio con limosna, el dinero védico resultan ser, en bloque, medios de mejora espiritual y de una perfección inagotablemente productiva, porque para seguir purificándose hay que gastar más, invertir o consumir más hasta alcanzar el cenit. Muy lejos, pues, de lo que se creía en el capitalismo de consumo, donde consumir significaba sucumbir a las tentaciones publicitarias del capital, ahora en el capitalismo de ficción, el gasto contribuye a enaltecernos. ¿Cómo no sentir, por tanto, una impensada concordia respecto a las empresas que, ofreciendo simplemente tostadoras, aguas minerales o móviles, nos brindan la oportunidad de ganar el cielo? ¿Cómo ser definitivamente antisistema si el sistema sin fin nos salva?

Verdú, V.: *El estilo del mundo* (adaptado), Anagrama, Barcelona.

1. Señala si es verdadero (V) o falso (F) según el texto.

V F

1. Los padres fundadores norteamericanos creían que ganar dinero haciendo el bien revierte en beneficios para la totalidad de la sociedad. ☐ ☐

2. En el siglo XIX la sociedad británica declaraba su interés por el bien general. ☐ ☐

3. El sistema puritano necesita de la creación de fundaciones y donaciones para conseguir hacerse célebre en el mundo de las finanzas. ☐ ☐

4. La opinión pública juega un papel determinante en el rendimiento de las grandes empresas actuales. ☐ ☐

5. La mayoría de las empresas actuales se fundamentan en un diagnóstico ético para hacerse perdonar sus incorrectas maniobras. ☐ ☐

2. Elige la opción correcta.

1. Según Vicente Verdú:

a. En el capitalismo de producción sólo la clase obrera luchaba en contra del sistema.

b. En el capitalismo de consumo las organizaciones de consumidores jugaron un importante papel con relación a los abusos cometidos por las empresas.

c. En el capitalismo de ficción es sólo la "opinión pública" la que se opone con fuerza al sistema.

2. La creación del concepto "dinero ético" permite que...

a. los ciudadanos ahorradores no destinen los beneficios de las bebidas alcohólicas a los hambrientos del Tercer Mundo.

b. los ciudadanos se sientan mejores mediante la buena inversión de las finanzas.

c. la producción aumente sin menoscabar el buen concepto que los individuos tienen de sí mismos.

3. Debate televisivo.   **Dinero ético**

Vas a participar en un debate televisivo sobre el capitalismo de nuestra sociedad moderna. Prepara una breve intervención de cinco líneas inspirándote en el texto.

léxico

1. Relaciona las palabras del texto con sus sinónimos.

2. Encuentra el antónimo.

1.	lista	**a.**	trámite	
2.	ostensible	**b.**	engaño	
3.	asumir	**c.**	sustituir	
4.	gestión	**d.**	enmendar	
5.	fementido	**e.**	mitigar	
6.	otorgar	**f.**	relación	
7.	benefactor	**g.**	patente	
8.	respaldar	**h.**	purificar	
9.	reemplazar	**i.**	aceptar	
10.	estafa	**j.**	librar	
11.	corregir	**k.**	aportar	
12.	visible	**l.**	bienhechor	
13.	nefando	**m.**	falso	
14.	eximir	**n.**	conceder	
15.	contribuir	**ñ.**	apoyar	
16.	paliar	**o.**	ofrecer	
17.	depurar	**p.**	evidente	
18.	cenit	**q.**	abominable	
19.	sucumbir	**r.**	apogeo	
20.	brindar	**s.**	ceder	

1.	corrupto	**a.**	malhechor
2.	triunfar	**b.**	virtuoso
3.	otorgar	**c.**	aguantar
4.	benefactor	**d.**	quitar
5.	respaldar	**e.**	obligar
6.	nefando	**f.**	fracasar
7.	eximir	**g.**	desamparar
8.	fementido	**h.**	íntegro
9.	depurar	**i.**	honorable
10.	sucumbir	**j.**	ensuciar

¿y tú?

3. Define las siguientes palabras que aparecen en el texto y pon un ejemplo con cada una de ellas.

Benefactor:

....

Altruista:

....

Corrupto:

....

Triunfador:

....

El texto habla de "otorgar licencia". ¿Qué otras cosas se pueden *otorgar*?

4. Completa las frases con las palabras del vocabulario. Haz las transformaciones necesarias.

ostentar boicotear otorgar estafar visible	ficción brindar cenit caridad efluvio	eximir nefando predicar abusar enaltecer	domar maltrato expiar concordia puritano

1 ▶ A Mariano, el banco le .... un crédito para comprar una casa y está loco de contento.

2 ▶ Quiso comprar una plaza de garaje, dio un dinero anticipado y le ....

3 ▶ Parece que sufre mucho, pero no te fíes de él, yo creo que todo es pura ....

4 ▶ Tenemos que .... por los novios.

5 ▶ Esta yegua es una salvaje, hay que ...., si no, nos va a hacer la vida imposible.

6 ▶ En algunas zonas de EE.UU hay comunidades muy .... que cuentan con un número de divorcios muy bajo.

7 ▶ Es bueno hacer obras de .... Así ayudas a los demás.

8 ▶ No quiere que le consideren un fracasado, por eso siempre tiene deseos de .... delante de los demás.

9 ▶ Cometió un .... crimen y por eso fue condenado a cadena perpetua.

10 ▶ Ahora está .... su delito en una cárcel de alta seguridad.

11 ▶ Cuando el Sol se encuentra en su .... debemos protegernos con cremas solares.

12 ▶ Todos los médicos dicen que no hay que .... de las grasas, ya que producen colesterol.

13 ▶ El eclipse de Sol será .... desde diferentes puntos del planeta.

14 ▶ Era un placer pasear por su jardín en primavera, los .... de las flores embriagaban los sentidos.

15 ▶ Su generosidad es algo que lo ....

16 ▶ Desde hace tiempo el .... a los animales está penado en España.

17 ▶ Los sacerdotes deben llegar al corazón de los fieles con sus ....

18 ▶ Pensaron que no era la persona adecuada para ese cargo y le dieron otro puesto de inferior categoría. Él quedó encantado porque quedaba .... de tanta responsabilidad.

19 ▶ Hay un grupo de trabajadores que quiere .... la huelga, pues no están de acuerdo con la convocatoria de los sindicatos.

20 ▶ La verdad es que se llevaban muy bien, entre ellos siempre reinaba la ....

5. ¿Cuál de los sinónimos siguientes no pertenece a la lista?

■ **asumir:** *aceptar, admitir, adquirir, responsabilizarse, comprometerse.*

■ **corregir:** *rehacer, reformar, subsanar, enmendar, repetir.*

■ **depurar:** *limpiar, purificar, sanar, filtrar, refinar.*

■ **eximir:** *exonerar, dispensar, perdonar, examinar, indultar.*

■ **otorgar:** *donar, conceder, agraciar, ofrecer, dispensar.*

■ **paliar:** *calmar, suavizar, aliviar, mejorar, mitigar.*

Comprensión *Auditiva*

▶ El as del fútbol

1. Escucha la entrevista con Javier Vázquez sobre el astro Maradona y elige la opción correcta.

1 ▼

a. Maradona es considerado como un "virus" por sus seguidores.

b. Son indispensables las imágenes para comprender correctamente el fanatismo pasional que despierta Maradona.

c. El realizador Javier Vázquez diagnosticó con su documental el fenómeno Maradona.

2 ▼

a. Maradona y Pelé tuvieron un duelo delante de la gente en Río de Janeiro.

b. Han construido una Iglesia con el nombre de Maradona.

c. La banda sonora de la película incluye música no editada anteriormente.

3 ▼

a. A Maradona se le quiere sin condiciones.

b. Maradona estuvo en coma durante tres años porque se volvió loco.

c. En Cuba hay un grupo de revolucionarios a quienes llaman "maradonianos".

2. ¿Lo has entendido bien? Responde a las preguntas.

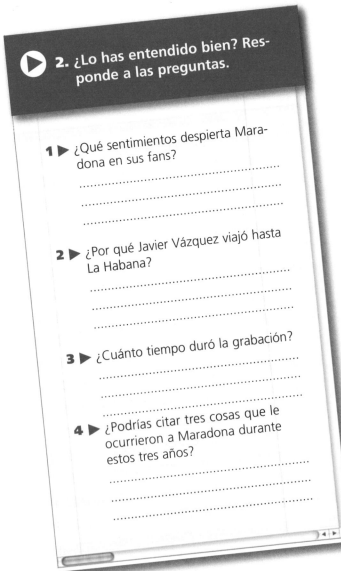

1 ▶ ¿Qué sentimientos despierta Maradona en sus fans?

....
....
....

2 ▶ ¿Por qué Javier Vázquez viajó hasta La Habana?

....
....
....

3 ▶ ¿Cuánto tiempo duró la grabación?

....
....

4 ▶ ¿Podrías citar tres cosas que le ocurrieron a Maradona durante estos tres años?

....
....
....

Competencia *Gramatical*

1. Transforma cada una de las siguientes frases en una causal, una consecutiva y una temporal con los conectores entre paréntesis. Haz las transformaciones necesarias sin perder el sentido de la frase.

1 ▶ Tengo una cita. Me hacen esperar. Me pongo nervioso. (*hasta tal punto, de tanto como, cuando*).

2 ▶ Quiere ver un programa que le guste. No encuentra nada interesante. Cambia de canal constantemente. (*como, así que, al*).

3 ▶ Miente a propósito. Quiere ver la reacción de los demás. (*porque, de ahí que, cada vez que*).

4 ▶ Procura evitar situaciones comprometidas. No le gusta crearse enemistades. (*en vista de que, de modo que, siempre que –puede–*).

5 ▶ Vio degollar a un pollo. Le impresionó muchísimo. No ha vuelto a comer pollo. (*tanto… que, ya que, desde que*).

6 ▶ Es consciente de sus propios errores. Perdona a los demás fácilmente. (*habida cuenta de, tan...que, al + infinitivo*).

7 ▶ Tenía la garganta irritada. Solo podía tomar algo líquido. (*de tal forma que, en vista de que, mientras*).

8 ▶ Es muy constante. No abandona las tareas que acomete. Siempre termina todas las tareas. (*por, luego, hasta que*).

9 ▶ Le hacen bastantes cumplidos. Es muy tímida. Se sonroja enseguida. (*de… que, así que, en cuanto*).

10 ▶ Su abuelo murió repentinamente. No puede conciliar el sueño con facilidad. (*por culpa de, dado que, tras*).

2. Completa las frases temporales, consecutivas y causales del siguiente texto con la forma verbal que corresponda.

Confesiones de un fumador cincuentón

Confieso que cuando (*fumar*) ....(1)........ mi primer cigarrillo no me gustó nada la experiencia y me sentí fatal. ¿Por qué seguí fumando, entonces? Supongo que porque en aquella época (*querer, nosotros*) ....(2)........ parecer mayores y el cigarrillo (*ser*) ....(3)........ el signo externo de nuestra rebeldía, ya que lo (*asociar, nosotros*) ....(4)........ a caracteres fuertes e independientes. Tan influidos estábamos por el cine americano que no (*poder*) ....(5)........ sentirnos protagonistas de nuestra propia película sin un cigarrillo entre las manos.

Yo era un joven tímido e inseguro de mí mismo, así que (*seguir*) ....(6)........ encendiendo cigarrillo tras cigarrillo cada vez que (*querer*) ....(7)........ disimular y dar una imagen diferente ante los demás. Como, además, en aquella época (*vender*) ....(8)........ tabaco hasta a los niños pequeños, no era difícil conseguirlos. ¿Que no tenías dinero para una cajetilla? Pues entonces comprabas pitillos sueltos. Fumar era algo tan normal que (*poder*) ....(9)........ hacer en todas partes, incluso en los autobuses urbanos que cogíamos para volver a casa del colegio. Eso sí, en casa no fumaba, no porque me lo (*prohibir*) ....(10)........ expresamente, sino porque (*poder*) ....(11)........ parecer un desafío a la autoridad paterna, habida cuenta de que –como símbolo visible de poder que era– solo (*corresponder*) ....(12)........ mantener un cigarrillo entre los dedos al cabeza de familia. Por eso mismo las jovencitas casaderas que flirteaban entre bocanadas de humo y miradas lánguidas (*soler*) ....(13)........ dejar de fumar nada más (*cambiar*) ....(14)........ de estado, mucho antes de que sus maridos se lo (*prohibir*) ....(15)........ .

Competencia Gramatical

Sin embargo, ahora han cambiado completamente las tornas. Los líderes ya no fuman –o no lo hacen en público– porque *(ser)* .(16)................... conscientes de que daña su imagen. No es que *(estar)* .(17)................... preocupados por la influencia negativa que pudieran tener en los más jóvenes, sino porque *(saber)* (18)................... muy bien que fumar ya no se lleva. De ahí que *(dejar)* (19)................... de fumar, pues su ambición *(ser)* (20)................... mayor que su dependencia de la nicotina.

Lo que no sé es qué voy a hacer yo a partir del día uno, en cuanto *(entrar)* (21)................... en vigor la prohibición de fumar en nuestra empresa. Ya he intentado varias veces dejar de fumar, pero sin éxito y, dado que la fuerza de voluntad no *(ser)* (22)................... la mayor de mis virtudes, voy a tener que comprar todas las existencias de parches de nicotina que encuentre en la farmacia. ¡Recuerdo que cada vez que *(estar)* (23)................... una temporadita sin fumar comía tantos chicles y caramelos que *(engordar)* (24)................... un montón de kilos!

3. ¿*Ser* o *estar*? Sustituye los verbos en negrita y haz las transformaciones necesarias.

1 ▶ **Parece** preferible que la nueva ley entre en vigor a partir de enero del próximo año.
2 ▶ Después de la complicada operación no se ha recuperado del todo, **se siente** muy débil.
3 ▶ Al público le gustó tanto el concierto que **permaneció** de pie aplaudiendo durante más de cinco minutos.
4 ▶ Mucha de la ropa que compramos **la hacen en** China, porque la mano de obra es más barata.
5 ▶ A pesar de que no tenían muchas esperanzas en que su petición saliese adelante, ahora **se sienten** muy contentos por haberlo intentado.
6 ▶ ¿Podría decirme si el Museo Picasso **queda** cerca de aquí?
7 ▶ La oficina **la tiene** en la calle Mayor, cerca de la plaza Cervantes.
8 ▶ Le han buscado por todas partes, pero el tipo **se encuentra** en paradero desconocido.
9 ▶ **Se hallaba** bajo los efectos de una gran borrachera y dijo no recordar nada de lo que había pasado.
10 ▶ Al final no me has dicho dónde va a **tener lugar** la conferencia.

4. Completa el texto con las palabras que te damos a continuación.

¡qué tío!
hombre
venga
pues hombre
¡eh!
bueno
anda
vaya
pues

● Si vieras qué pocas ganas tengo de moverme de aquí... Mejor nos quedamos hasta luego más tarde.

○ ¿Ahora sales con esas? .(1)..................., mujer, que tenemos que reunirnos con los otros. Verás lo bien que lo pasamos.

● No sé yo qué te diga.
(2)................... lo que sea decidirlo rápido.

♤ Nos quedamos –concluyó Sebastián–.
Alicia dijo:

○ ¡Qué lástima, .(3)...................; cada uno por su lado!

● Yo a lo que hubiera ido de buena gana es a bailar a Torrejón.

□ ¿Otra vez? –dijo Mely–. (4)................... Se te mete una idea en la cabeza y no te la saca ni el Tato.

● ¿Y ésos, qué hacen?
Miguel se aproximó al grupo de Tito. Estaban cantando.

○ ¡(5)..................., que os vengáis para arriba!

◇ ¿Cómo dices? No te hemos oído –contestaba Daniel–. Lucita se reía.

○ (6)..................., menos pitorreo. Que se hace tarde. Decidid.

● (7)..................., a ver si va a haber aquí más que palabras. Dejaos en paz ya de choteos y decidid si no venís.

◇ (8)..................., según adónde sea....

● (9)..................., está visto que con vosotros no se puede contar. No tengo ganas de perder más tiempo. Allá vosotros con lo que hagáis.

Sánchez Ferlosio, R.: *El Jarama* (adaptado),
Destino, Barcelona.

Competencia *Gramatical*

5. ¿Qué preposición falta?

1 ▶ Ha logrado .... sus propios medios todo lo que se propuso de joven.

2 ▶ El motor .... todos los proyectos de investigación es Juan con su inagotable energía.

3 ▶ Ha enriquecido .... todo el pueblo con la genial idea de instalar allí una fábrica de embutidos.

4 ▶ La casa era preciosa, la luz penetraba a raudales .... los grandes ventanales.

5 ▶ El Sr. Jiménez es el representante de una empresa .... sede en Nueva York.

6 ▶ No me lo explicó .... detalle, pero *grosso modo* vino a decir que se iba de aquí porque estaba harto de vivir rodeado de mediocridad.

7 ▶ Larra era también conocido .... el pseudónimo de "Fígaro".

8 ▶ Tiene un hijo que ya está .... edad de ir a la universidad.

9 ▶ Yo estoy a favor .... que no haya discriminación por nada en el mundo laboral.

10 ▶ .... que sus padres faltan, ella sola lleva .... cuestas el peso de toda la casa.

11 ▶ No pudimos hacerle cambiar de idea, estaba convencido .... que tenía razón y se mantuvo en sus trece.

12 ▶ Hay una correspondencia directa .... el cáncer de pulmón y el tabaco.

13 ▶ En esta sociedad de consumo, llenamos nuestras casas de miles de objetos que no sirven .... nada.

14 ▶ Si te limitas .... hacer lo que te pide, seguro que no te importunará.

15 ▶ No basta .... aprenderse la gramática de memoria, es necesario, después, practicar la lengua.

16 ▶ El secreto de esta receta consiste .... asar la carne a fuego muy lento por espacio de cuatro horas.

17 ▶ Es muy dado .... la vida mundana. Se pasa el día de fiesta en fiesta, de celebración en celebración.

18 ▶ Se sentía capaz y con energías suficientes .... sus cincuenta años .... empezar una nueva carrera universitaria.

6. ¿*Indicativo* o *subjuntivo*? Completa el siguiente texto con los tiempos y modos adecuados.

Jimmie Ángel

El descubrimiento accidental de la catarata más alta del mundo hecho por Jimmie Ángel, natural de Misuri, Estados Unidos, forma parte de la mitología de la Gran Sabana.

En el año 1921, Jimmie Ángel *(conocer)* [1] .... al explorador y geólogo de Alaska J.R. McCraen, quien le *(hablar)* [2] .... de una montaña en América del Sur que *(tener)* [3] .... un río de oro.

Obsesionado por la idea de encontrar ese tesoro, Ángel *(dedicar)* [4] .... el resto de su vida a buscarlo. McCraen solo le *(dar)* [5] .... indicaciones verbales mientras volaban, pero Jimmie *(estar)* [6] .... seguro de que aquel lugar estaba en la cima del Auyantepuy. En 1930 regresó con el ingeniero de minas Dick Curry, pero no *(conseguir)* [7] .... aterrizar. El 10 de octubre de ese mismo año volvió a intentarlo de nuevo, pero el mal tiempo le *(impedir)* [8] .... aterrizar. En 1935 *(convencer)* [9] .... al geólogo F.I. Martín para que *(conseguir)* [10] .... financiación económica de la Case Pomeroy Company. Aterrizaron en el valle Kamarata y, el 25 de marzo de 1935, *(descubrir)*

(11) .... el cañón de Auyantepuy (conocido en la actualidad como el cañón del Diablo). "*(Ver)* (12) .... una catarata que casi me *(hacer)* (13) .... perder el control del avión –comentó Jimmie Ángel– pues *(parecer)* (14) .... caer del mismo cielo, aunque no *(tener)* (15) .... la suerte de poder aterrizar".

Por mucho que lo *(intentar)* (16) ...., no *(poder)* (17) .... encontrar un lugar en el que aterrizar, así que en 1937 *(hacer)* (18) .... un ascenso con el capitán de barco y experto topógrafo Félix Cardona Heny, para buscar algún sitio donde aterrizar. Después *(organizar)* (19) .... su quinto intento, en esa ocasión acompañado por su esposa, Marie Sanders, Gustavo Heney y Joe Meacham. El 9 de octubre *(conseguir)* (20) .... aterrizar en la cima con un monoplano flamingo, *El Río Caroní*, pero *(hundirse)* (21) .... en tierra pantanosa, y él y su grupo *(tener)* (22) .... que descender a pie. El viaje *(durar)* (23) .... once días pero, afortunadamente, Gustavo Heny estaba familiarizado con el terreno y *(conseguir)* (24) .... llevar al grupo sano y salvo hasta Kamarata.

A pesar de su continua búsqueda del río de oro, Jimmie Ángel nunca encontró aquel lugar. *(Morir)* (25) .... en Panamá en 1956 como consecuencia de las heridas sufridas en un accidente aéreo. *(Dejar)* (26) .... instrucciones para ser incinerado y para que sus cenizas *(esparcirse)* (27) .... en la catarata que lleva su nombre: su deseo fue cumplido.

Guía Turística de Venezuela (adaptado), Guías Océano, Barcelona.

PREPOSICIONES

Indican posición física o figurada.

▶ **SOBRE:** *Tus gafas están sobre la mesa (=encima de la mesa). Hay que estar todo el día sobre Juanito para que no haga trastadas.*

▶ **BAJO:** *El perro está bajo la cama (=debajo de la cama). Te espero bajo el reloj de la plaza.*

Expresan anterioridad o posterioridad física o figurada.

▶ **ANTE:** *¿Cómo se presentó ante él con esas pintas? Ante todo, está la salud.*

▶ **TRAS:** *Se escondió tras la cortina (=detrás de la cortina). Siempre va corriendo tras los honores. Tras la tempestad (=después de la tempestad) llega la calma.*

En sentido figurado solo podemos utilizar las preposiciones simples.
No pueden ir precedidas de otra preposición.

LOCUCIONES PREPOSICIONALES

Indican posición de algo o alguien respecto a otro.
Son equivalentes en su sentido a las preposiciones simples.
Se pueden utilizar con pronombres personales: *mí, ti,* etc.

▶ **ENCIMA DE:** *Encima del armario (=sobre el armario) había una maleta.*

▶ **DEBAJO DE:** *Pon un hule debajo del mantel (=bajo el mantel).*

▶ **DELANTE DE:** *No vi nada porque se sentó un tipo enorme delante de mí.*

▶ **DETRÁS DE:** *Se refugió detrás de mí.*
(Las construcciones con posesivos, como *"detrás mío"*, son incorrectas).

Competencia*Gramatical*

Indican posición física.

▶ **ENCIMA:** *Déjalo ahí encima.*

▶ **DEBAJO:** *¿No lo ves? Está debajo.*

▶ **DELANTE:** *Sigue delante en la clasificación.*

▶ **DETRÁS:** *Está ahí detrás.*

Indican dirección de un movimiento o espacio sin compararlo o relacionarlo con nada.

▶ **ARRIBA:** *Estoy arriba. Sube si quieres.*

▶ **ABAJO:** *Estoy abajo, en el sótano.*

▶ **ADELANTE:** *Sigue adelante. No te detengas. Adelante, pasa.*

▶ **ATRÁS:** *No pienso dar un paso atrás.*

---

7. **Completa estas frases** *con sobre, bajo, ante o tras, encima (de), debajo (de), delante (de), detrás (de), arriba, abajo, adelante o atrás:*

1 ▶ Los vecinos de .... se quejan del ruido que hacemos por las mañanas.

2 ▶ .... planearlo todo minuciosamente, puso en marcha su maléfico plan.

3 ▶ Hace como que no sabe que sus hijos fuman, aunque lo hacen .... sus propias narices.

4 ▶ Tenemos un futuro espléndido .... nosotros si nos mantenemos unidos.

5 ▶ Me dijo que vivía en el piso de ...., pero no que no había ascensor.

6 ▶ No te preocupes, que tienes un magnífico equipo .... apoyándote.

7 ▶ .... las dificultades, dio marcha ....

8 ▶ ¡Qué frío hace! Debemos de estar a dos grados .... cero por lo menos.

9 ▶ Lo que desea, ... todo, es ganar las elecciones.

10 ▶ No dé ni un solo paso .... Si se acerca, dispararemos......................... usted.

11 ▶ Deja la chaqueta .... esa silla.

12 ▶ Lo hizo .... presión. No por voluntad propia.

13 ▶ El faro proyectaba su luz .... el acantilado.

14 ▶ Te espero aquí .... No tengo ganas de ir .... otra vez.

15 ▶ Para llevarse a mi hija tendrá que pasar por .... mi cadáver.

Expresión e interacción *Escrita*

Antes de nada ▼

FECHA

Es necesario indicar el lugar, día, mes y año en que se escribe la carta. La fecha puede aparecer a continuación del membrete o antes del saludo.

▶ **El lugar o población:** no se indica si coincide con el que aparece en el membrete.

▶ **El día:** en números.

▶ **El mes:** siempre con minúsculas y sin abreviar.

▶ **El año:** aparecen las cuatro cifras sin punto.

17 **de** febrero **de** 2006

Madrid, 30 **de** marzo **de** 2005

Cáceres, **a** 7 **de** septiembre **de** 2003

NOMBRE Y DIRECCIÓN DEL DESTINATARIO

El nombre:

▶ Si el destinatario es una persona física: *Don / Doña* + nombre + apellidos.

▶ Si el destinatario es una empresa o sociedad: *Señores* + *nombre* de los socios o la razón social (nombre de la empresa).

Abreviaturas más utilizadas
D. don
Dña. doña
Sr. señor
Sra. señora
Sres. Señores
Sras. Señoras

¡ACCIÓN!

Estafados en un centro de belleza

Escribe una carta de denuncia.

Recursos

▶ Consideras que te han estafado en un Centro de Belleza. Has gastado un montón de dinero sin resultados apreciables, por lo que decides escribir al defensor del consumidor. En la carta deberás:

▶ Dar información personal conservando el anonimato.

▶ Denunciar los hechos.

▶ Explicar los motivos que te llevaron a acudir a ese centro y los daños económicos y morales que te ha ocasionado.

▶ Expresar tu deseo de que otras personas no sean víctimas de su charlatanería.

▶ Insistir en que hay que tomar medidas legales contra semejantes centros de belleza.

Presentación y exposición del problema:
Me pongo en contacto con ustedes para informarles/poner en su conocimiento una serie de acontecimientos/percances ocurridos...
El motivo de esta carta es denunciar los desagradables incidentes ocurridos...
... escribo en relación a unos graves incidentes...

Expresar deseos:
Espero y es mi deseo que hechos como este...
Confío en que lo sucedido...

Adverbios:
Personalmente, indudablemente, afortunadamente, desgraciadamente, etc.

Expresiones:
Está claro que...
Ya es hora de que...
Habría que preguntarse si...
No cabe duda de que...

El planeta en peligro: El Amazonas

Redacta un informe.

"A pesar de que el Amazonas muestra una vida exuberante, el ecosistema de la selva tropical lluviosa es muy delicado y cuando se despeja el terreno para dedicarlo a la agricultura, los nutrientes poco profundos se filtran y las lluvias los arrastran dejando a su paso un paisaje desértico."

Guía Turística de Venezuela, Guías Océano, Barcelona.

La desertización del planeta, el aumento del agujero de la capa de ozono, el cambio climático y un largo etcétera, son algunos de los temas de mayor actualidad, ya que nos afectan a todos hoy día y representarán un problema serio para las generaciones futuras.

▶ Redacta un informe de 150-200 palabras con datos reales sobre el peligro que corre nuestro planeta. Deberás tener en cuenta los siguientes puntos:

- ▶ El papel que juega la superpoblación del planeta en el equilibrio ecológico.
- ▶ La importancia de las políticas de protección del medio ambiente (Protocolo de Kioto, etc.)
- ▶ La importancia del reciclaje.
- ▶ Las organizaciones ecologistas y su contribución a la preservación del medio ambiente.

Expresión e interacción *Oral*

La lengua nuestra *de cada día*

Cada oveja con su pareja

1. Relaciona las expresiones con su definición.

1 ▶ Estar en ascuas.

2 ▶ No saber de la misa la media.

3 ▶ De higos a brevas.

4 ▶ En casa del herrero, cuchillo de palo.

5 ▶ A caballo regalado no le mires el diente.

a ▶ No estar enterado de cierta cosa de la que se debería estar.

b ▶ Muy de tarde en tarde.

c ▶ Donde hay facilidad de hacer o conseguir una cosa, suele haber falta de ella.

d ▶ Lo que es recibido como regalo, debe ser acogido sin reparo aunque tenga algún defecto.

e ▶ Estar impaciente o desazonado.

¿A que no sabes?

2. ¿Qué expresión te parece más adecuada para cada contexto?

1 ▶ Ayer, María recibió muchos regalos de sus amigos, ya que era su cumpleaños. Algunos no le gustaron porque no eran de su estilo; sin embargo, no quiere cambiarlos, ya que ella...
   a. estaba en ascuas.
   b. piensa que a caballo regalado no le mires el diente.
   c. cree que es mejor de higos a brevas.

2 ▶ Alberto es un gran arquitecto, tiene muchas ideas e iniciativa, pero todavía no ha diseñado su propia casa. Como dice el refrán...
   a. más vale tarde que nunca.
   b. en casa del herrero cuchillo de palo.
   c. no sabe de la misa la media.

3 ▶ Una de mis mejores amigas se llama Ana, ella es alemana y vive en Berlín. Nos gusta estar juntas y compartir muchas cosas, pero a causa de la distancia...
   a. nos vemos de higos a brevas.
   b. estamos en ascuas.
   c. no sabemos de la misa la media.

En otros lugares

3. ¿Existe alguna de las expresiones anteriores en tu lengua? En caso negativo, ¿qué se utiliza para decir...?
   ▪ Muy de tarde en tarde.
   ▪ No estar enterado de algo que se debería saber.
   ▪ Estar impaciente o desazonado.

Expresión e interacción *Oral*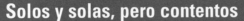

Hablando **se entiende la gente**

Solos y solas, pero contentos

Lee las informaciones siguientes.

> *"(...) La socióloga Constanza Street habla de la "complejización de la vida social y el desarrollo de trayectorias biográficas en las que cada vez más se privilegian la libertad individual, la autonomía y la preservación del espacio propio."*

> *"En Argentina son un fenómeno en crecimiento: gente que elige la soltería como opción de vida. Un factor de peso son los cambios que en las últimas décadas se han producido en el concepto tradicional de familia (...)"*
>
> *"En la medida en que el hombre y la mujer pueden acceder en pie de igualdad al mercado de trabajo, la familia deja de cumplir su sentido fundamental de dar protección y seguridad."*

> *"Ahora las exigencias son mayores y la gente piensa más en sí misma. Y al hacerlo, se valora mucho más como individuo. Esto hace que sea muy difícil que uno aguante a alguien con quien no está bien."*

Sotelo, S.: *La Nación Revista.* (adaptado).

Personas que intervienen en la tertulia:

- Una empresaria defiende su soltería.
- Un psicólogo cree en la familia y está a favor del matrimonio.
- Una trabajadora social defiende sus convicciones espirituales o filosóficas.
- Un sociólogo piensa que en un futuro la familia desaparecerá tal y como la concebimos hoy y aparecerán otras forma de relación.
- Un moderador.

Prepara tu intervención. ▶ Elige uno de los papeles anteriores y, tras leer lo que dice S. Sotelo en *La Nación Revista,* reflexiona sobre el tema desde el punto de vista del papel que representas. Toma notas.

¡ACCIÓN!

Tertulia

Recursos

▶ Comentad los siguientes temas:

- ▶ ¿Es un avance o un retroceso social el hecho de que un número considerable de personas vivan solas?
- ▶ ¿Por qué hay mayores rupturas matrimoniales hoy que en épocas anteriores?
- ▶ ¿Es positivo que la gente piense más en sí misma?
- ▶ ¿Las experiencias sentimentales al margen de la pareja son igual de satisfactorias?
- ▶ ¿Qué futuro espera a la familia tradicional? ¿Qué otros tipos de familias se perfilan en las sociedades modernas?

Particularizar: en mi caso, para mí, según lo que yo, etc.

Adverbios: particularmente, personalmente, ideológicamente, socialmente, etc.

Pedir aclaraciones: si he comprendido bien..., ¿quiere decir que...?, ¿le importaría volver a...?, etc.

EXPRESIÓN DE LA CAUSA

▶ **Con indicativo:**

porque, a / por causa de que, puesto que, dado que, ya que, debido a que, como (inicial)**, por culpa de que, gracias a que, es que** (como excusa)**.**

Otras partículas y locuciones causales:

- ▶ **pues** (posterior): *Los niños no podrán disfrazarse, pues están resfriados.*
- ▶ **como quiera que:** *Como quiera que tenía libre el fin de semana, se fue de excursión.*
- ▶ **en vista de que / visto que:** *En vista de que / visto que no se entendían, se separaron.*
- ▶ **habida cuenta de que:** *Habida cuenta de que me lo impone el presidente del partido, dimitiré.*

  de + adjetivo/participio + **que** + *ser / estar: No puedo moverme de cansado que estoy.*

  de + **tan** + adjetivo/participio + **que / como** + *ser / estar: De tan cansado como estoy, no puedo ni moverme.*
- ▶ **de tanto/a/s como/que:** *De tanto como lo he usado, está estropeadísimo.*
- ▶ **que** (tras órdenes): *No vayas al cine, que aún están echando la misma película.*
- ▶ **cuando:** *Algo le habrás hecho cuando te ha castigado.*

▶ **Con subjuntivo:** solo si expresan una falsa causa.

- ▶ *no* + **en vista de que, por culpa de que, debido a que, por razón de que, a causa de que, gracias a que.**

Otras partículas y locuciones causales:

- ▶ **no porque:** *Resulta impertinente no porque sea un maleducado, sino porque está nervioso.*
- ▶ **no es que:** *Se ha ido, pero no es que esté enfadado.*

▶ **Con infinitivo o con nombre:**

- ▶ **por** + infinitivo: *Se chocó por conducir imprudentemente.*
- ▶ **dado, a/por causa de, en vista de, por culpa de, debido a, por razón/es de, habida cuenta de, de** + nombre: *Dada la cuantía de la deuda, decidimos pagarla a plazos.*
- ▶ **gracias a** + nombre/pronombre, **de** + infinitivo + adverbio, **a fuerza de** + infinitivo / nombre: *A fuerza de repetirlo una y otra vez ha conseguido aprenderse el poema.*

EXPRESIÓN DE LA CONSECUENCIA

▶ **Con indicativo:**

luego, así que, por eso, por (lo) tanto, por consiguiente, en consecuencia, consecuentemente.

Otras partículas y locuciones consecutivas:

- ▶ **conque, así pues:** *No querían darme el dinero, conque exigí ver al director.*
- ▶ **hasta tal punto, a tal extremo:** *Llegaron a tal extremo de desconfianza, que tuvieron que separarse.*
- ▶ **de [tal] forma/manera/modo/que:** *Son encantadores, de modo que lo pasamos muy bien.*
- ▶ **como para:** *Aquellas calles por las que nos metimos, eran como para volverse loco.*
- ▶ **tal/es** + nombre + **que:** *Tuvieron tal discusión que no se hablan.*
- ▶ **tan** + adjetivo/adverbio + **que:** *Está tan desmoralizado que no sale de casa.*
- ▶ **tanto/a/s** + nombre / verbo + **que:** *Le hicieron tantos reproches que se quedó sin saber qué decir.*
- ▶ **de** + **tanto/a/s** + nombre/adjetivo + **que:** *No pudimos comprar nada de tanto desorden que había.*
- ▶ **ser de un** + adjetivo + **que** (coloquial): *Es de un aburrido que nadie lo aguanta.*
- ▶ ..., **pues** (final): *Son ya las doce. Vámonos, pues.*

▶ **Con subjuntivo:**

    ▶ *de ahí / aquí que: Es un abogado muy bueno, de ahí que tenga tanto prestigio.*

▶ **Sólo si expresan una falsa consecuencia:**

    ▶ *no + tal + nombre + que* (irreal): *La discusión no fue tal que no se hablen.*

    ▶ *no + tan + adjetivo/adverbio + que* (irreal): *No es tan difícil que no se pueda hacer.*

    ▶ *no + tanto + nombre/verbo + que* (irreal): *No hay tanta gente que no se pueda entrar.*

    ▶ *como para que: No es tan barato como para que nos lo compremos.*

▶ **Con infinitivo o con nombre:**

    ▶ *Hasta + infinitivo: Comió hasta explotar.*

EXPRESIÓN DE LA TEMPORALIDAD

▶ **Con indicativo:** si se refieren al **presente** o al **pasado**.
cuando, en cuanto, cada vez que, siempre que, desde que*, a que, hasta que (no)*, hasta tanto que, después de que*.*

    Otras partículas y locuciones temporales:

    ▶ *no bien, apenas, así que, tan pronto como: Apenas llegaron empezó el festival.*

    ▶ *a medida que, conforme, según: A medida que crece, pinta mejor.*

    ▶ *una vez que, luego (de) que: Luego que hubo hervido, lo retiré del fuego.*

    ▶ *mientras (que), en tanto (que)**: Mientras pones la mesa, yo prepararé la ensalada.*

▶ **Con subjuntivo:**

    ▶ *antes de que: Se marchó antes de que llegáramos.*

▶ **Las mismas partículas que las anteriores si se refieren al futuro:**

    ▶ *Cuando/Tan pronto como lleguen, empezará el festival.*

    ▶ *Conforme se ejercite, pintará mejor.*

    ▶ *Lo retiraremos del fuego una vez que / después de que hierva.*

    ▶ *En tanto que me ayudes me sentiré mejor.*

▶ **Con infinitivo o gerundio:** cuando el sujeto es el mismo.

    ▶ *hasta, después de, antes de, al + infinitivo: Al no haber llegado a tiempo, perdieron todo el primer acto.*

    ▶ *tras: Tras haber dicho eso, cogió y se marchó.*

    ▶ Gerundio simple (acción simultánea): *Mi padre se duerme viendo el telediario.*

    ▶ Gerundio compuesto (acción anterior): *Habiendo visto el telediario, se queda dormido.*

Para consolidar y ampliar tus conocimientos te recomendamos…

Diccionario
práctico de
gramática
800 fichas de uso correcto del español

edelsa

* Referida al pasado, el verbo de la oración subordinada también puede ir en modo subjuntivo.
**Aunque se refiera al futuro va en indicativo porque con subjuntivo adquiere valor condicional.
(+ subjuntivo condic.).

Unidad 4

Comprensión *Lectora*

▶ **Mario Vargas Llosa:** *Sirenas en el Amazonas.*

▶ **Más de cerca:** actividades y estrategias de control de la comprensión.

▶ **Enriquece tu léxico:** actividades y estrategias para ampliar el vocabulario.

Comprensión *Auditiva*

▶ **Entrevista a Luis Francisco Esplá:** *Toros y matadores.*

▶ Actividades y estrategias de control de la comprensión.

Competencia *Gramatical*

Contenidos propios de la unidad

▶ Oraciones concesivas y finales.

Contenidos generales

▶ Contraste *ser / estar.*

▶ Completa con las palabras y expresiones de la lista.

▶ Preposiciones.

▶ Tiempos y modos verbales.

Algo más

▶ Preposiciones y locuciones de tiempo y de lugar.

Expresión e interacción *Escrita*

▶ **Escribir una carta** para comunicar y explicar un problema, exigir una solución o indemnización, exigir una respuesta.

▶ **Exponer los hechos:** Informar sobre la realidad: la influencia de la cultura.

Expresión e interacción *Oral*

▶ **La lengua nuestra de cada día:** expresiones, refranes y frases hechas.

▶ **Hablando se entiende la gente:** La moda, un clásico del espíritu.

▶ **Tertulia.**

Recuerda Gramatical

▶ Oraciones concesivas y finales.

Unidad 4

Mario Vargas Llosa
(1936)

DATOS BIOGRÁFICOS

Escritor peruano que nació en el seno de una familia de clase media. Estudió Letras y Derecho y se le considera uno de los más importantes autores de la narrativa hispanoamericana del siglo xx. Es miembro de la Academia Peruana de la Lengua (desde 1997), así como de la Real Academia Española (desde 1994). Su participación activa en la política peruana (se presentó como candidato a la presidencia de la República por el Frente Democrático) también ha contribuido a que su obra sea conocida en el mundo entero. Actualmente tiene la nacionalidad peruana y española.

SU OBRA

De entre los numerosos premios que ha obtenido, cabe destacar el Premio Rómulo Gallegos (1967), el Premio Cervantes (1994), el Premio Príncipe de Asturias (1986) y el Premio Planeta (1993).

Entre sus novelas más conocidas destacan: *La ciudad y los perros* (1963), *Conversación en La Catedral* (1969), *Pantaleón y las visitadoras* (1973), *La guerra del fin del mundo* (1981) y *La fiesta del Chivo*. Ha escrito, además, ensayos políticos y literarios.

Sirenas en el Amazonas

Los cronistas del Descubrimiento y la Conquista fueron los primeros, en América, en practicar el periodismo escrito. Algunos de ellos pueden ser considerados auténticos reporteros, pues, como Pedro Pizarro, Cieza de León o Bernal Díaz del Castillo, eran testigos y protagonistas de los sucesos que relataron, en tanto que otros, como el Inca Garcilaso de la Vega, el Padre Cobo, Pedro Mártir de Anglería o Herrera, recogieron sus informaciones entrevistando a sobrevivientes y depositarios de documentos y memorias de aquellas hazañas.

Ese periodismo primigenio —la palabra aún no existía, aparecerá siglos más tarde— comenzaba a abrirse un espacio, entre dos gigantes que hasta entonces monopolizaban el reino de la información: la historia y la literatura. Las crónicas participan de ambos géneros, pero algunos cronistas se distancian de ellos, pues, como los prolijos Cieza o Bernal Díaz, no refieren hechos del pasado, sino de la llameante actualidad, guerras, hallazgos de tesoros, ciudades y paisajes exóticos, conquistas, traiciones, proezas, que están sucediendo o acaban de suceder, lo que da a sus escritos esa cualidad eminentemente periodística de la inmediatez, de textos elaborados sobre lo visto, lo oído y lo tocado.

Sin embargo, ninguna de las crónicas, ni siquiera las más fidedignas, pasaría una prueba de lo que en este siglo llegó a considerarse el deber de objetividad del periodismo: la obligación de hacer un estricto deslinde entre opinión e información, la de no mezclar una noticia con juicios o prejuicios personales. Esa noción que diferencia entre información y opinión es absolutamente moderna, más protestante que católica y más anglosajona que latina o hispánica, y hubiera sido incomprensible para quienes escribieron sobre la Conquista de la Florida, de México, del Perú o del Río de la Plata. Porque para aquellos cronistas del XVI y del XVII, la frontera entre realidad objetiva, hecha de ocurrencias escuetas, y subjetiva, fraguada con ideas, creencias y mitos, no existía. Había sido eclipsada por una cultura que casaba en matrimonio indisoluble los hechos y las fábulas, los actos y su proyección legendaria. Esta confusión de ambos órdenes, que alcanzará siglos más tarde, con un Borges, un Carpentier, un Cortázar o un García Márquez, gran prestigio literario, que los críticos bautizarán con la etiqueta de "realismo mágico" y que muchos creerán rasgo prototípico de la cultura latinoamericana, puede rastrearse ya en esa manera de cabecear la realidad con la fantasía que impresiona tanto en las primeras relaciones escritas sobre América.

A esos escribidores que vieron elefantes en la isla Hispaniola, sirenas en el Amazonas, y poblaron las selvas y los Andes de prodigiosos animales importados de la mitología grecorromana sería una ligereza llamarlos embusteros, incluso visionarios. En verdad, no hacían más que acomodar –para entenderla mejor– una realidad desconocida, que los deslumbraba o aterraba, a modelos imaginarios que llevaban arraigados en el subconsciente, de modo que, gracias a semejante asimilación, podían ambientarse en el mundo fabuloso que pisaban por primera vez. Por eso, el Almirante Colón murió convencido de haber llegado con sus tres carabelas a la India de las especias (...) y por eso desaparecieron tragados por los abismos andinos, en los páramos del altiplano o en los dédalos de la jungla, tantos exploradores que, a lo largo de tres siglos, recorrieron el Continente en busca de El Dorado, las Siete Ciudades de Cibola, la Fuente de la Juventud o las huellas del Preste Juan. Y, por eso, como demostró Irving Leonard en *Los libros del conquistador*, los descubridores, adelantados, fundadores de ciudades y aventureros españoles y portugueses, bautizaron los lugares y poblaciones de América con nombres tomados de las novelas de caballerías.

Nadie contribuyó tanto como la Inquisición española a fortalecer en los iberoamericanos la costumbre de mezclar ficción y realidad –mentira y verdad–, con su pretensión de impedir que en las colonias de América se leyeran novelas. Por tanto, durante tres siglos en la América española estuvo prohibido el género novelesco...

[...] Pero la ficción se infiltró insidiosamente en todos los órdenes de la existencia: la religión, la política, la ciencia y, por supuesto, el periodismo. La costumbre de mirar la realidad e informar sobre ella de manera subjetiva –que en literatura da excelentes frutos y en el periodismo venenosos– tiene en nuestras tierras una robusta tradición de cinco siglos y la señalo para destacar la influencia de la cultura en la determinación de las nociones de mentira y verdad, la descripción verídica de un hecho y su deformación subjetiva. Cuando ésta es deliberada, y persigue hacer pasar gato por liebre, contrabandear una mentira por una verdad, se comete una infracción tanto jurídica como ética, claro está.

Vargas Llosa, M.: *Sirenas en el Amazonas* (adaptado),
Revista *Caretas*.

---

1. Señala si es verdadero (V) o falso (F) según el texto.

	V	F
1. Los cronistas del Descubrimiento de América son comparables a los reporteros actuales de la Sección de Sucesos.	☑	☐
2. Los cronistas recogían sus informaciones de los sobrevivientes de las hazañas, a quienes entrevistaban directamente; por eso, actualmente, podemos afirmar que esos escritos son eminentemente objetivos.	☐	☑
3. Los documentos escritos de aquella época podían ser considerados como "periodísticos", ya que relataban lo que sucedía y se basaban en lo que los cronistas veían u oían.	☑	☐
4. El movimiento literario conocido como "realismo mágico", considerado por muchos como característico de la cultura iberoamericana, tiene su origen en las crónicas de los siglos XVI y XVII.	☐	☑
5. En Iberoamérica, la Inquisición española no quería que se leyeran novelas, de ahí que los escritores de la época se aficionaran a mezclar, en sus escritos, ficción y realidad.	☑	☐

2. Elige la opción correcta.

1. Los hechos prodigiosos que describen los cronistas...

   a. dan lugar a obras en las que se retrata un mundo fabuloso.

   b. representan una extrapolación de la imaginería de la época.

   c. les permite ambientarse en aquel mundo fabuloso.

2. La Inquisición española contribuyó con su actitud a...

   a. que los iberoamericanos se rebelasen contra lo establecido.

   b. que aumentase de manera sensible el contrabando.

   c. que los hispanoamericanos impregnasen de fantasía todos los aspectos de la vida.

3. Escribe una reseña. **Ficción y realidad**

En la redacción donde trabajas te piden una reseña del texto que has leído. Resume lo que dice Mario Vargas Llosa y ponle un título.

1. Relaciona las palabras del texto con sus sinónimos.

2. Encuentra el antónimo.

1.	eclipsar	m
2.	deslumbrar	p
3.	dédalo	i
4.	fidedigno	f
5.	embuste	j
6.	abismo	ñ
7.	deslindar	h
8.	prototipo	n
9.	fortalecer	e
10.	páramo	b
11.	suceso	l
12.	rastrear	g
13.	prolijo	d
14.	cronista	a
15.	fraguar	o
16.	primigenio	c
17.	etiqueta	k

a.	historiógrafo
b.	yermo
c.	primitivo
d.	extenso
e.	vigorizar
f.	fehaciente
g.	explorar
h.	demarcar
i.	laberinto
j.	mentira
k.	rótulo
l.	acontecimiento
m.	oscurecer
n.	arquetipo
ñ.	precipicio
o.	forjar
p.	encandilar

1.	distanciarse	d
2.	deliberado	e
3.	inmediato	b
4.	fantasía	g
5.	prolijo	a
6.	fortalecer	x
7.	objetividad	c

a.	conciso
b.	lejano
c.	subjetividad
d.	acercarse
e.	accidental
f.	debilitar
g.	realidad

¿y tú?

3. Completa el siguiente cuadro.

NOMBRE	ADJETIVO	VERBO
fantasía	fantástico	fantasear
debilidad	débil	debilitar
objetividad	objetivo	objetivar, ser objetivo
suceso	sucedido	suceder
realidad	real	ser real
deslumbramiento	deslumbrante	deslumbrar
deliberación	deliberado	deliberar

4. Completa las frases con las palabras del vocabulario. Haz las transformaciones necesarias.

> eclipse
> etiqueta
> objetividad
> fraguar

> rastrear
> fidedigno
> embustero
> conciso

> abismo
> prototipo
> aplacar
> explorar

> deliberado
> encandilar
> cronista
> indisoluble

1 ▶ Mira, lo mejor es que no le hagas caso, todo el mundo sabe que es un .... empedernido.

2 ▶ Fue muy difícil encontrar a los presos que se habían fugado; tuvieron que traer perros entrenados para .... sus huellas.

3 ▶ Marilín es el .... de belleza femenina: esbelta, dulce, elegante...

4 ▶ Para la religión católica el matrimonio es un sacramento ....

5 ▶ Bernal Díaz del Castillo fue uno de los mejores .... de Indias, pues poseía una gran memoria que le ayudó a narrar los hechos con gran fidelidad.

6 ▶ Cuando se produjo el ...., los animales se desorientaron y corrían sin saber a dónde ir.

7 ▶ Señorita, ¿podría decirme cuánto cuesta este jersey? No lleva la ....

8 ▶ El debate se había convertido en un caos. Todos hablaban exaltadamente y el moderador, para .... los ánimos, decidió cortar por lo sano y suspenderlo para el día siguiente.

9 ▶ Quiero que la próxima semana me traigáis un resumen muy .... de la historia de Colombia.

10 ▶ La culpa del accidente la tuvo el coche que venía de frente, pues no había quitado las luces largas y nos ....

11 ▶ Las veo siempre cuchicheando, creo que están .... algo en contra del jefe.

12 ▶ El paisaje de esa zona es impresionante, los .... se suceden uno tras otro.

13 ▶ Nos adentramos en la selva con la intención de .... zonas que nunca habían sido pisadas por el hombre.

14 ▶ Aunque la .... absoluta no existe, tenemos que intentar acercanos a ella lo máximo posible.

15 ▶ Fuentes .... aseguran que la banda terrorista piensa abandonar las armas en breve.

16 ▶ Al final terminamos divorciándonos. Fue una decisión muy .... por parte de los dos.

5. CRUCIGRAMA. Con las definiciones que te damos resuelve el crucigrama.

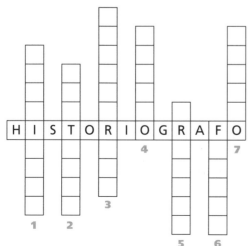

1. *v. tr.* Señalar y distinguir los términos de un lugar.
2. *v. tr.* Seguir el rastro.
3. *adj.* Intencionado, a propósito.
4. *n. m.* Profundidad grande, imponente y peligrosa.
5. *v. tr.* Idear, discurrir y trazar la disposición de algo.
6. *v. tr.* Inventar, fabricar.
7. *n. m.* Cosa que sucede.

Comprensión *Auditiva*

► Toros y matadores

▶ **1.** Escucha la entrevista al matador Luis Francisco Esplá y di si es verdadero (V) o falso (F) lo que afirma.

	V	F
1 ▶ Antes de ser torero como su padre y su hermano, Esplá era ganadero.	☐	☐
2 ▶ El hecho mismo de la muerte le creaba un trauma tal, que llegó a odiar el mundo de los toros.	☐	☐
3 ▶ Con relación a la luz, hay una semejanza entre los toreros que pertenecen a la escuela mediterránea y el pintor Sorolla.	☐	☐
4 ▶ Se considera un cazador, pero con una relación muy especial con el toro.	☐	☐
5 ▶ El torero no se cuestiona sus sentimientos al matar al toro.	☐	☐

▶ **2.** ¿Lo has entendido bien? Elige la opción correcta.

1 ▶ El torero pertenece a una familia...
- **a.** importante dentro del mundo del arte.
- **b.** conocida en todo el mundo.
- **c.** con una larga tradición en el mundo del toreo.

2 ▶ El matador Esplá aborrecía el mundo de los toros porque...
- **a.** no entendía la muerte de los toros.
- **b.** tenía que criarlos.
- **c.** los odiaba.

3 ▶ Es necesario matar al toro una vez terminada la lidia porque...
- **a.** sería humillante para el animal salir lesionado de la plaza.
- **b.** si te ha pertenecido tienes que derrotarlo.
- **c.** es muy digno matar a un animal vencido.

Competencia
Gramatical

1. Fíjate en las conjunciones y locuciones concesivas y finales y completa el siguiente texto con los tiempos y modos adecuados.

Un desastre de fiesta

¿Sabes que habíamos invitado también a los jefes de Elena por su cumpleaños, *de modo que* *(tener, ella)* (1)...................... ocasión de estrechar más sus relaciones y hablar de sus proyectos para la empresa? Pues resultó un desastre y ahora te cuento por qué:

Aunque lo *(preparar, nosotras)* (2)......................... todo con mucha ilusión *con el objeto de que* la fiesta *(ser)* (3)........................ un éxito, las cosas no salieron como esperábamos.

Con lo que les *(soler)* (4)........................ gustar bailar a los compañeros de Elena y, *a pesar de que* *(contratar, nosotras)* (5)........................ los servicios de un D.J. *con la intención de (animar)* (6)......................... la celebración, estaban todos bastante cortados y nadie dio un solo paso de baile en toda la noche.

La fiesta iba a ser en el jardín pero, *aun cuando* el servicio meteorológico *(asegurar)* (7)........................... un tiempo espléndido para la zona, se puso a llover a cántaros y tuvimos que entrar en casa corriendo *para no (empaparse, nosotros)* (8).......................

Una vez dentro, y *por más que (romper, nosotras)* (9)........................ la cabeza pensando cómo colocar a los invitados durante la cena, *con vistas a que (tener, ellos)* (10)..................... algo en común y *(encontrar)* (11)........................ temas de conversación, nadie tuvo en cuenta los cartelitos con sus nombres a la hora de sentarse y casi no hablaron durante la comida.

Si bien (gastar, nosotras) (12)........................ un montón de dinero encargando la cena a una famosa empresa –*no fuera que* nuestras dotes culinarias *(fallar)* (13)..................... en una ocasión tan importante–, la comida era bastante mala y no me atreví a insistir en que se sirvieran más *para no (poner, yo a ellos)* (14)..................... en un aprieto. (Yo misma no podía tragarla, y *eso que (procurar, yo)* (15)..................... disimularlo...) Así que tampoco comieron mucho.

Para colmo de males, algunos invitados bebieron bastante –*por (animarse)* (16)..................... un poco, supongo– y tuvimos que llevarles a sus casas en taxi *a fin de que* no *(tener, ellos)* (17)..................... un accidente en ese estado.

Total, un desastre, y *mira que (pasar, nosotras)* (18)................... tiempo planeándola. *(Decir)* (19)..................... lo que *(decir)* (20).................... Elena, yo no pienso organizar ninguna más. No en casa, por lo menos. *Por mucho que (insistir, ella)* (21)......................, la próxima vez lo celebramos fuera. *Aunque (gastar, nosotras)* (22)..................... más, merece la pena *para (quedar, nosotras)* (23)..................... bien.

2. Completa las frases. Ten en cuenta las locuciones concesivas y finales.

1 ▶ Tanto si .... como si no, ...
2 ▶ Por mucho que ....
3 ▶ Se compraron aquella casa con vistas a ....
4 ▶ Por más que ....
5 ▶ .... a fin de no tener deudas.
6 ▶ Llegaron tarde, y eso que..
7 ▶ Aun cuando .... insistían en no hacernos caso.
8 ▶ A pesar de .... se entera de todo lo que pasa.
9 ▶ ...., de modo que nos marchamos.
10 ▶ Aceptaremos su propuesta incluso si ....

3. *¿Ser* o *estar?* Sustituye las expresiones en negrita por *ser* o *estar*. Haz las transformaciones necesarias.

1▶ La Acrópolis de Atenas **se halla** emplazada en una colina desde la que se divisa toda la ciudad.

2▶ El libro que me pides creo que **le pertenece a** Juan.

3▶ Pasear de noche por este barrio es muy peligroso, no le ha pasado nada porque **ha tenido** usted mucha **suerte**.

4▶ Por fin ha encontrado trabajo, aunque es provisional. **Trabaja como** camarero en una cafetería.

5▶ El aeropuerto **permaneció** cerrado por espacio de dos horas, debido a las inundaciones de ayer.

6▶ No te impacientes, no contesta porque **tiene** vacaciones todo este mes.

7▶ **Lleva** dos horas hablando por teléfono, ¡va a llegar un recibo...!

8▶ Tomás **lleva** luto porque el mes pasado se murió su hermana Lola.

9▶ **Me opongo a** que nos cambien el horario.

10▶ Este guiso cántabro **tiene un sabor** riquísimo.

4. Completa los mini diálogos con las expresiones siguientes.

> ¡anda ya!
> ¡vaya por Dios!
> vaya con Dios
> ¡venga ya!
> toma, pues claro

1▶ ● Bueno, siento mucho tener que dejarle, pero es que me esperan para cenar. Adiós.

○ ....

2▶ ● ¿Sabes que al final no encontramos al perro? Ya lo hemos dado por perdido.

○ ...., lo siento muchísimo.

3▶ ● ¿Te has enterado de que me ha tocado la lotería y que me lo voy a gastar todo en viajes?

○ .... , pareces Antoñita la fantástica.

4▶ ● ¿De verdad te has hecho este vestido tú sola?

○ .... ¿No me crees capaz de ello?

5▶ ● Estaré lista dentro de quince minutos, sólo tengo que maquillarme los ojos.

○ ...., hace dos horas que te estamos esperando.

5. ¿Qué preposición falta?

1▶ Aunque era una actriz brillante, se vio eclipsada .... la fama de su madre.

2▶ La verdad es que María Aurelia pudo comprar el piso gracias .... los préstamos que le hicieron las amigas.

3▶ El mal de ojo es una superstición muy arraigada .... la sociedad rural.

4▶ Es una buena idea importar .... Turquía "kilims", se venderán como churros.

5▶ Es necesario un especialista para que pueda diferenciar .... las antigüedades y lo nuevo que se fabrica ahora.

6▶ Le bautizaron .... el nombre de Gregorio, pero todo el mundo le llama Antonio, en recuerdo de su abuelo.

7▶ Tomás y Antonia están convencidos .... que la decisión que tomaron de jubilarse a los sesenta años fue un gran acierto. Desde entonces viven como reyes.

8▶ El pueblo de Jorge está localizado .... una zona montañosa de difícil acceso, por eso los alemanes durante la ocupación no pudieron encontrarlo.

9▶ Fuimos los últimos .... abandonar la sala. Nos quedamos comentando la obra durante más de una hora.

10▶ La frontera .... México y Estados Unidos está estrechamente vigilada, para evitar el paso masivo de emigrantes.

11 ▶ La dieta hay que completarla .... suplementos vitamínicos.

12 ▶ El éxito de mi libro se debe .... parte a sus inestimables consejos.

13 ▶ En el reino .... los ciegos, el tuerto es el rey.

14 ▶ Todos debemos contribuir, en la medida de lo posible, ... erradicar el hambre del mundo.

15 ▶ La crisis actual es consecuencia .... el despilfarro de años anteriores.

16 ▶ El espía se infiltró .... los círculos políticos sin que nadie sospechara nada.

17 ▶ Todos trabajaban como burros, ... tanto que unos cuantos estaban todo el día rascándose la barriga.

18 ▶ Cuando ingresó en esa secta se fue distanciando poco a poco .... nosotros.

6. ¿*Indicativo* o *subjuntivo*? Completa el texto de Pérez Galdós con los tiempos y modos adecuados.

(Emprender, ellos) (1)..................... su camino presurosos por la calle de Mesón de Paredes, hablando poco. Benina, más sofocada por la ansiedad que por la viveza del paso, *(echar)* (2)..................... lumbre de su rostro, y cada vez que *(oír)* (3)..................... campanadas de relojes *(hacer)* (4)..................... una mueca de desesperación. El viento frío del Norte *(empujar, a ellos)* (5)..................... por la calle abajo, hinchando sus ropas como velas de un barco. Las manos de uno y otro *(ser)* (6)..................... de hielo; sus narices rojas *(destilar)* (7)....................., *(enronquecer)* (8)..................... sus voces; las palabras *(sonar)* (9)..................... con oquedad fría y triste.

No lejos del punto en que Mesón de Paredes *(desembocar)* (10)..................... en la Ronda de Toledo, *(hallar, ellos)* (11)..................... el parador de Santa Casilda, vasta colmena de viviendas baratas alineadas en corredores sobrepuestos. *(Entrar)* (12)..................... a ella por un patio o corralón largo y estrecho, lleno de montones de basura, residuos, despojos y desperdicios de todo lo humano. El cuarto que *(habitar)* (13)..................... Almudena *(ser)* (14)..................... el último del piso bajo, al ras del suelo, y no *(haber)* (15)..................... que franquear un solo escalón para penetrar en él. *(Componerse)* (16)..................... la vivienda de dos piezas separadas por una estera pendiente del techo: a un lado la cocina, a otro la sala, que también *(ser)* (17)..................... alcoba o gabinete, con piso de tierra bien apisonado, paredes blancas, no tan sucias como otras del mismo caserón o humana madriguera. Una silla *(ser)* (18)..................... el único mueble, pues la cama *(consistir)* (19)..................... en un jergón y mantas pardas, arrimado todo a un ángulo. La cocinilla no *(estar)* (20)..................... desprovista de pucheros, cacerolas, botellas, ni tampoco de víveres. En el centro de la habitación, *(ver)* (21)..................... Benina un bulto negro, algo como un lío de ropa, o un costal abandonado. A la escasa luz que *(entrar)* (22)..................... después de cerrada la puerta, *(poder)* (23)..................... observar que aquel bulto *(tener)* (24)..................... vida. Por el tacto, más que por la vista, *(comprender)* (25)..................... que era una persona.

"Ya *(estar)* (26)..................... aquí la *Pedra* borracha".

- ¡Ah!, ¡qué cosas! *(Ser)* (27)..................... esa que *(ayudar, a ti)* (28)..................... a pagar el cuarto... Borrachona, sinvergüenzonaza... Pero no *(perder, nosotros)* (29)..................... tiempo, hijo; y dame el traje, que yo lo *(llevar)* (30)..................... [...] Haciéndose cargo de la impaciencia de su amiga, el ciego *(descolgar)* (31)..................... de un clavo el traje que él *(llamar)* (32)..................... nuevo, por un convencionalismo muy corriente en las combinaciones mercantiles, y lo *(entregar)* (33)..................... a su amiga, que en cuatro zancajos *(ponerse)* (34)..................... en el patio y en la Ronda, tirando luego hacia el llamado Campillo de Manuela.

Pérez Galdós, B.: *Misericordia* (adaptado),
Cátedra, Madrid.

LOCUCIONES PREPOSICIONALES DE LUGAR[1]

▶ **A:**
- ▶ Situación respecto a un punto: *A la derecha/a la izquierda, al fondo, al final del pasillo...*
- ▶ Distancia: *A 20 kilómetros, a media hora de camino...*
- ▶ Lugar figurado: *Sentados a la puerta de la casa, tumbados al sol...*
- ▶ Destino: *Vamos a la playa.*

▶ **HACIA:**
- ▶ Dirección de un movimiento: *Siga por la autovía A4 hacia Córdoba...*

▶ **HASTA:**
- ▶ Punto final de un movimiento: *Este tren va hasta Zaragoza.*

▶ **EN:**
- ▶ Lugar exacto: *Estamos en el centro comercial.*
- ▶ Lugar interior: *Están en casa.*

▶ **SOBRE** (indica contacto físico) **= ENCIMA DE / BAJO = DEBAJO DE:**
- ▶ Lugar superior. En sentido figurado solo usamos la preposición simple: *Te espero bajo el reloj de la plaza.*

▶ **ANTE = DELANTE DE / TRAS = DETRÁS DE:**
- ▶ Lugar superior. En sentido figurado solo usamos la preposición simple: *Ante todo está la salud.*

▶ **DE... A...:**
- ▶ Punto de partida y destino: *Iremos de Bilbao a Santander en coche.*

▶ **DESDE... HASTA...:**
- ▶ Punto de partida y destino, con énfasis en la distancia recorrida: *He venido desde casa hasta aquí andando.*

LOCUCIONES PREPOSICIONALES DE TIEMPO[1]

▶ **A:**
- ▶ Horas y tiempo puntual: *A las seis de la mañana/al anochecer.*
- ▶ *Al* + infinitivo = *cuando*: *Al salir de trabajar nos fuimos a tomar algo.*
- ▶ Futuro en relación al pasado: *Al día siguiente se marcharon.*
- ▶ Frecuencia: *tres veces a la semana, dos veces al día.*
- ▶ Edad que se tiene durante la realización de algo: *A los 15 años escribía poesías.*

▶ **AL CABO DE:**
- ▶ Futuro en relación al pasado: *Fue a EE.UU y al cabo de un mes regresó.*

▶ **CON:**
- ▶ Edad que se tiene durante la realización de algo: *Se casó con solo 23 años.*

▶ **DE:**
- ▶ Ausencia/presencia de luz solar: *Se levantaban de madrugada.*
- ▶ Hora respecto a una parte del día: *Son las seis de la tarde, me marcho ya.*
- ▶ Origen: *Esta tradición viene de la Edad Media.*

▶ **DENTRO DE:**
- ▶ Tiempo que tiene que transcurrir para que ocurra algo. Futuro en relación al presente: *Dentro de un mes habrá elecciones.*

▶ **DESDE / DESDE HACE +** espacio de tiempo:
- ▶ Origen + duración: *Estoy esperando desde hace media hora.*

▶ **DESDE... HASTA / DE... A**
(ambas + artículo si se trata de horas o días):
Horarios: *Trabajamos de lunes a viernes, desde las ocho hasta las dos.*

▶ **EN:**
- ▶ Expresiones de tiempo mayores del día que no son días ni horas: *En verano vamos a España, pero este año no podemos ir.*
- ▶ Tiempo que se tarda en la realización de algo: *Lo hizo en cinco minutos.*

▶ **HASTA:**
- ▶ Límite temporal que no se sobrepasa: *Se despidió hasta la noche.*

▶ **SOBRE = HACIA:**
(hora o fecha aproximada).
- ▶ Tiempo aproximado: *Vendré sobre/hacia las dos.*

Competencia *Gramatical*

7. Completa el texto con la preposición adecuada.

Bicicletas románticas

Yo solía dejar la bicicleta .....(1)......... el patio de la escuela, que estaba rodeado de un parque muy arbolado, con bancos y un pequeño lago donde nadaban algunos peces y patos. La trancaba y me iba caminando .....(2)......... la sala de maestros o, si era ya la hora, directamente .....(3)......... el aula de clase. .....(4)......... terminar, ...(5)......... la tarde, destrancaba mi bici y pedaleaba .....(6)......... casa, que está .....(7)......... cinco cuadras .....(8)......... la escuela. Aquel lunes, ...(9)......... finalizar el turno, vi que en el patio había otra bicicleta, además de la propia. [...] Era una bicicleta romántica, de mujer. El corazón me dio un vuelco. [...] Comprendí que lo sucedido con las bicicletas no era un acontecimiento aislado o fortuito cuando, mientras iba caminando .....(10)......... la escuela .....(11)......... mi casa, asocié el amarramiento bicicletesco con los hechos singulares que habían estado ocurriendo en mi torno .....(12)......... unos meses. Es lo que voy a contar ahora.

Una mañana .....(13)......... las nueve menos cinco llegué con mi bicicleta .....(14)......... estacionamiento del patio de la escuela y enseguida distinguí, entre tantas bicicletas una, romántica, de mujer. Como la mía, era negra, pero tenía una línea roja en los guardabarros, que terminaban, ...(15)......... atrás, en una pequeña voluta. [...] Aquella bicicleta era por lo menos tan bonita como la mía, así es que me detuve un rato a contemplarla. [...] Yo decidí dejar la mía cerca de la suya. Así, ...(16)......... verlas, la gente pensaría que los propietarios formaban una pareja. [...] .....(17)......... la salida pasaron repartiendo el folleto informativo de la Comuna sobre la inauguración del patíbulo. Cuando llegué .....(18)......... patio vi que la bicicleta de mujer no estaba. Me asaltó un vago sentimiento que, ...(19)......... ser sometido a análisis, demostró parecerse a la tristeza: tal vez era melancolía. Como tengo dicho y repito, soy lento para sacar algunas conclusiones, y no fue sino .....(20)......... casa, mientras guardaba mi bicicleta [...] cuando me di cuenta de que la dueña, ...(21)......... retirar la suya, tendría que haber visto mi propia bicicleta.

.....(22)......... llegar a casa lo primero que hice fue ir .....(23)......... garaje y pintar .....(24)......... mi bici una franja roja .....(25)......... cada uno de los guardabarros.

Durante dos días yo había llegado .....(26)......... las nueve y la bici estaba allí, de modo que quise probar qué pasaba si yo llegaba, por ejemplo, ...(27)......... las nueve menos cuarto. .....(28)......... esa hora llegué, ...(29)......... la mañana siguiente, y ya estaba. [...] Esa vez pude haber dejado mi bicicleta pegada .....(30)......... la de ella, porque había lugar, pero me contenté con dejarla cerca. [...] Tal vez lo haría .....(31)......... día siguiente, después de haberle cambiado las cubiertas. Me pareció claro que la dueña llegaba siempre .....(32)......... las nueve menos cuarto.

Cuando .....(33)......... día siguiente mi bicicleta de flamantes cubiertas blancas y yo estuvimos .....(34)......... las ocho y media, el patio estaba casi vacío y la bicicleta de mujer no estaba. [...] Pensé, equivocadamente, que pronto vería llegar a la dueña. Dejé mi bici amarrada y me senté .....(35)......... un banco que estaba alejado, ...(36)......... el que uno podía observar el patio. Estuve inútilmente sentado .....(37)......... que se acercó el momento de entrar .....(38)......... clase. [...] Fue un día laboral de cinco horas durante las que me costó concentrarme. [...] .....(39)......... la salida me llevé la agradable sorpresa de que la bicicleta romántica de mujer estaba, y muy cerca de la mía. [...] Resolví esperar un rato, sentado .....(40)......... el banco, para ver si aparecía la dueña, pero como eso no sucedió, ...(41)......... una hora me fui .....(42)......... casa.

Rosiello, L.: *Bicicletas románticas* (adaptado).
http://www.elcastellano.org/leonardo.html

Expresión e interacción
Escrita

La dirección:
Tiene que aparecer el nombre de la calle (avenida, plaza, etc.) + número separados por una coma (,) y un espacio. El código postal + localidad (en mayúsculas).

Nota: si la localidad no es la capital, la provincia puede escribirse, pero en minúsculas.

DISTRIBSA
C/ María de Luna, 3
18800 BAZA (Granada)

Sres. Sanz y Sanz
Avda. Peñarroya, 130
28034 MADRID

Abreviaturas más utilizadas
Avda. avenida
C/ o **c/** calle
Crta. carretera
Pza. plaza
P° paseo
n° número
s/n sin número

¡ACCIÓN!

Les ruego solución de inmediato

Exige una indemnización.

Recursos

▶ Trabajas en una empresa de importación. Tu departamento ha realizado un pedido de fresas a la cooperativa *Agrofre* ubicada en Huelva, España. A causa de la demora en el envío, una parte del pedido ha llegado en malas condiciones. Escribe una carta de protesta a la cooperativa española utilizando el tono y estilo adecuados. En la carta tienes que:

▶ Exponer claramente el problema.
▶ Explicar las pérdidas que este hecho ha ocasionado a la empresa a la que representas y lo que eso supone para vuestros clientes.
▶ Exigir una indemnización por daños y perjuicios.
▶ Exigir una respuesta en breve.

Comunicar problemas:
Sentimos informarles...
Lamentamos tener que comunicarles...
Al revisar... hemos visto...
Al examinar... nos hemos dado cuenta de que...

Explicar:
Quiero pensar que se trata de...
Supongo que se debe a...
Al parecer el problema viene de...
Parece que ser que el problema...

Exigir una respuesta en breve:
Espero una respuesta inmediata...
Exijo una pronta respuesta...
Espero que este error se subsane
lo antes posible...

Exigir una solución o indemnización:
Espero que tome/n las medidas oportunas...
Le/s ruego solucione/n de inmediato...
Por todo ello, le/s exijo me devuelva/n....
Exijo una compensación, ya que...

Informar sobre la realidad: la influencia de la cultura

Expón los hechos.

"...La costumbre de mirar la realidad e informar sobre ella de manera subjetiva [...] –en literatura da excelentes frutos y en el periodismo venenosos–..."

"...la influencia de la cultura en la determinación de las nociones de mentira y verdad, la descripción verídica de un hecho y su deformación subjetiva, cuando ésta es deliberada, y persigue hacer pasar gato por liebre, contrabandear una mentira por una verdad, se comete una infracción tanto jurídica como ética..."

Vargas Llosa, M.: *Sirenas en el Amazonas.*

Recursos

▶ Después de leer lo que dice Vargas Llosa, escribe un texto expositivo sobre la influencia de la cultura a la hora de informar (150-200 palabras). Ayúdate del siguiente esquema:

▶ Introducción al tema.
▶ Exposición del tema.
▶ Explicación del tema.
▶ Enumerar argumentos.
▶ Conclusión y reflexión final.

Sacar consecuencias: así pues, de ahí que, por lo tanto, por lo que, etc.

Justificar un argumento: debido a, en virtud a, dado que, por culpa de, etc.

Argumentos en contra: por el contrario, antes bien, pese a, así y todo, etc.

Expresión e interacción Oral

La lengua nuestra *de cada día*

Cada oveja con su pareja

1. Relaciona las expresiones con su definición.

1 ▶ Ojos que no ven, corazón que no siente.

2 ▶ Anunciar a bombo y platillos.

3 ▶ Quien a buen árbol se arrima, buena sombra le cobija.

4 ▶ Dar gato por liebre.

5 ▶ El que se pica, ajos come.

a ▶ Engañar en una transacción comercial.

b ▶ El que, por susceptibilidad, se resiente de lo que oye, es porque tiene motivos para darse por aludido.

c ▶ Cuando las penas están lejos se ignoran o se sienten menos.

d ▶ Ventajas que logra el que tiene protección poderosa.

e ▶ Pregonar con gran aparato propagandístico.

¿A que no sabes?

2. Relaciona lo que dicen estas personas con una expresión del ejercicio anterior.

a. Cuando se licenció, después de estar estudiando siete años, se ocupó de comunicárselo a todo el mundo, incluso hizo una gran fiesta en su casa.

....
....

b. Una de mis mejores amigas ha optado por no contarme nada de lo que le pasa, ahora prefiere callarse todos sus problemas, así que ya no me preocupo por ella.

....
....

c. Si sigues en compañía de Carmen todo te irá bien, es una de esas personas que siempre intenta favorecer a los demás.

....
....

d. Dicen que en esa nueva agencia que han abierto en mi barrio hay que tener mucho cuidado a la hora de contratar un viaje, siempre pretenden darte algo diferente a lo que has pedido.

....
....

e. No entiendo por qué Ana reacciona así ante cualquier comentario. Siempre piensa que dicen las cosas para ella.

En otros lugares

3. Elige ahora tres de las expresiones de esta sección y:

■ piensa en qué situación real las utilizarías. Escríbelo.

■ ¿hay una expresión equivalente en tu lengua?

Expresión e interacción *Oral*

Hablando **se entiende la gente**

La moda, un clásico del espíritu

Lee las informaciones siguientes.

El cuerpo: ¿objeto de placer?

"En ambos casos, la necesidad de encubrir los valores sexuales es una manera natural de permitir que se descubran los valores de la misma persona".

"...la sensualidad hace considerar el cuerpo del otro como un objeto de placer...".

"El hombre [...] siente interiormente su propia sensualidad, es decir, psíquicamente es más consciente de ella y, por eso, es más púdico. Se da cuenta de lo que puede suponer que la mujer reaccione ante su cuerpo de modo incompatible con el valor del hombre en cuanto a persona".

"...se puede decir que en la mujer la afectividad supera la sensualidad y, por eso, ella es menos consciente psíquicamente del cuerpo como objeto de placer. Por esa razón, siente menos la necesidad de esconder su cuerpo [...] y es menos púdica".

Herrero, M.: *Nueva Revista* (adaptado).

Prepara tu intervención.

▶ Reflexiona sobre las siguientes cuestiones:

   ▶ ¿Estas de acuerdo con la diferencia que hace la autora entre hombre y mujer en relación al concepto de "cuerpo como objeto de placer"?

   ▶ ¿Qué es para ti el pudor? ¿Piensas que el hombre es más púdico que la mujer o viceversa?

   ▶ ¿Crees que "la necesidad de vestirse es una manera natural de permitir que se descubran los valores de la misma persona"? Justifica tu respuesta y da ejemplos.

Tertulia

¡ACCIÓN!

Después de leer las afirmaciones de "La moda, un clásico del espíritu" y reflexionar sobre las cuestiones planteadas, preparad una tertulia para exponer vuestro punto de vista.

EXPRESIÓN DE LA CONCESIÓN

Expresan una dificultad que no impide que se cumpla lo que se dice en la oración principal.

▶ **Con indicativo:** expresan una realidad.

aunque, aun cuando, a pesar de que, por más/mucho que, pese a que, (aun).

Otras partículas y locuciones concesivas:
- ▶ *a sabiendas de que: Llegará tarde, aun a sabiendas de que me molesta.*
- ▶ *si bien: Si bien nadie me lo advirtió, he tomado las medidas necesarias.*
- ▶ *con lo + adjetivo/adverbio/participio pasado + que + ser/estar: Con lo hábil que es, no se le da bien la mecánica.*
- ▶ *con + artículo/la de + nombre + que: Con la de problemas que tuve para conseguirlo y ahora tú lo tiras.*
- ▶ *cuando: Me han suspendido cuando he estudiado como una loca.*
- ▶ *y eso que* (coloquial): *Te has tomado media botella, y eso que no te gustaba.*
- ▶ *y mira que* (coloquial): *Hemos vuelto a equivocarnos, y mira que hemos tenido cuidado.*

▶ **Con subjuntivo:** expresan una posibilidad.
- ▶ **Real:** *Aunque seas mi hijo, no te permito comportarte de esta manera.*
- ▶ **Incierta:** *Aunque tuvieses razón, no deberías haber hablado así.*
- ▶ **Imposible:** *Aunque fuera tan guapa como ella, yo no me habría presentado al certamen de belleza.*

aunque, aun cuando, a pesar de que, por mucho/más que, pese a que, así, aun a riesgo de que, por poco que, porque, por + (muy) adjetivo/adverbio + que.

Otras partículas y locuciones concesivas:
- ▶ *que + verbo + que no/o no: Que quieras o no, yo lo haré.*
- ▶ *verbo + lo que + verbo: Cueste lo que cueste voy a comprarlo.*
- ▶ *siquiera + cantidad: Lo haré, siquiera una vez en la vida.*

▶ **Con las formas no personales:** si tenemos un solo sujeto o si el sujeto de la principal es objeto de la subordinada:
- ▶ *a pesar de + infinitivo/nombre: Fue a trabajar, a pesar de estar enfermo/su enfermedad.*
- ▶ *pese a + infinitivo: Está como un roble pese a haber cumplido noventa años.*
- ▶ *aun/ni + gerundio: No conseguirás convencerlo aun/ni insistiéndole mucho.*
- ▶ *con + infinitivo: Con ser el más feo, es el que más éxito tiene.*
- ▶ *gerundio/participio pasado/adjetivo + y todo: Viejo y todo, es más animado que muchos jóvenes.*

EXPRESIÓN DE LA FINALIDAD

Responden a la pregunta: *¿para qué?*

▶ **Con subjuntivo:** cuando su sujeto es diferente.

Partículas y locuciones finales:

- ▶ *a que* (tras verbos de movimiento), *para que: Vengo a que me paguen.*
- ▶ *a fin de que, con el objeto de que, con el fin de que: Los técnicos trabajarán con el objeto de que el oleoducto esté listo pronto.*
- ▶ *que* (tras imperativo): *Ven que te vea.*
- ▶ *con vistas a que, con la intención de que: El Estado construirá colegios con la intención de que todos los niños se escolaricen.*
- ▶ *de manera/modo/forma que**: *Germán lo preparó todo de manera que la fiesta fuera un éxito.*
- ▶ *en orden a que: Trabajan en orden a que la inauguración de la exposición no se retrase mucho.*
- ▶ *porque****: Lo hizo porque hablaran bien de él.*
- ▶ *no sea que: Deja a la perra en el jardín, no sea que mi tía se asuste.*

▶ **Con infinitivo:** cuando el sujeto es el mismo.

Partículas y locuciones finales:

- ▶ *a* (tras verbos de movimiento), *para: Vengo a pagar.*
- ▶ *a fin de, con el objeto de, con el fin de: Los técnicos trabajan con el objeto de terminar pronto el oleoducto.*
- ▶ *con vistas a, con la intención de: Se mata a trabajar con vistas a ganar la plaza de titular.*
- ▶ *en orden a: Trabajan en orden a inaugurar la exposición a tiempo.*
- ▶ *por: Lo hizo por quedar bien.*
- ▶ *tener... que: Tengo muchos exámenes que corregir.*

Para consolidar y ampliar tus conocimientos te recomendamos...

* Con indicativo adquiere valor consecutivo: "Germán lo preparó todo, de manera que la fiesta fue un éxito".
** Con indicativo tiene un significado causal: "Lo hizo porque quería que hablasen bien de".

Comprensión *Lectora*

▶ **Luis Goytisolo:** *La locura de don Quijote.*

▶ **Más de cerca:** actividades y estrategias de control de la comprensión.

▶ **Enriquece tu léxico:** actividades y estrategias para ampliar el vocabulario.

Comprensión *Auditiva*

▶ **Presentación y entrevista:** *Hostelería: ¿profesión con futuro?*

▶ Actividades y estrategias de control de la comprensión.

Competencia *Gramatical*

Contenidos propios de la unidad

▶ Oraciones condicionales.

Contenidos generales

▶ Contraste *ser / estar.*

▶ Completa con las palabras y expresiones de la lista.

▶ Preposiciones.

▶ Tiempos y modos verbales.

Algo más

▶ Contraste *por / para.*

Expresión e interacción *Escrita*

▶ **Escribir una carta** para agradecer, rechazar un ofrecimiento.
Locuciones condicionales y causales.

▶ **Contar la propia experiencia.** Elogio del turista.

Expresión e interacción *Oral*

▶ **La lengua nuestra de cada día:** expresiones, refranes y frases hechas.

▶ **Hablando se entiende la gente:** Del segundo sexo al "otro sexo".

▶ **Debate.**

▶ Oraciones condicionales.

Unidad 5

Luis Goytisolo
(1935)

DATOS BIOGRÁFICOS

Escritor español nacido en Barcelona en el seno de una familia de escritores. Licenciado en Derecho, inició su trayectoria literaria siendo aún adolescente. En 1995 ingresó en la Real Academia Española de la Lengua. En 1999 lanzó, en colaboración con Elvira Huelves, la Editorial Goytisolo, dedicada a la publicación de títulos relacionados con la familia. Luis Goytisolo publica regularmente en la prensa nacional (*El País*) y extranjera y suele participar como miembro del jurado de muchos e importantes premios literarios.

SU OBRA

Recibió en 1958 el Premio Biblioteca Breve por su novela *Las afueras*. Cuatro años después publicó *Las mismas palabras*. Estas primeras obras se inscriben en el realismo social. En 1963 comenzó una tetralogía, *Antagonía*, dedicada a su mujer. El primer volumen se tituló *Recuento* (1974); el segundo *Los verdes de mayo hasta el mar* (1976); el tercero *La cólera de Aquiles* (1977); y el último *Teoría del conocimiento* (1981). Posteriormente ha publicado: *Estela del fuego que se aleja* (1984), *Investigaciones y conjeturas de Claudio Mendoza* (1985), *La paradoja del ave migratoria* (1987) y *Estatua con palomas* (1992), galardonada en 1993 con el Premio Nacional de Narrativa. En los últimos años ha publicado la novela *Placer licuante* (1997), *Escalera hacia el cielo* (1999) y *Diario de 360º* (2000), novela compleja construida con forma de diario.

La locura de don Quijote

En uno de sus más conocidos y penetrantes ensayos literarios, Freud examina el raro fenómeno que hace que el lector termine refiriéndose a determinados personajes de ficción como si fueran o hubieran sido personas reales. Se les ama o se les detesta, se les admira o se les desprecia como si realmente fueran responsables de los actos que el autor haya querido atribuirles. Aunque Freud se centra preferentemente en el caso de Hamlet, Don Quijote –al que por supuesto menciona– le hubiera resultado realmente útil ya que, aparte de ser, tanto el uno como el otro, los dos mejores ejemplos de tal fenómeno, comparten la condición del enajenado, de la persona que en determinadas circunstancias se comporta como un loco. Por lo general se ha venido a convenir que mientras que la de Hamlet es una locura fingida, la de don Quijote es real, por mucho que termine recuperando la razón.

Loco en ocasiones, de una gran sensatez en otras, la personalidad de don Quijote ha merecido toda clase de juicios y valoraciones. Para unos el Caballero de la Triste Figura es un pobre desventurado; para otros, poco menos que un histrión. En el imaginario popular español, el imaginario de personas que no saben del Quijote más que de oídas, don Quijote, es, por el contrario, símbolo y esencia del caballero español, y sus acciones –lo quijotesco, las quijotadas– un ejemplo de comportamiento cabal para todos nosotros. Un ser, en suma, de la talla y entidad reales, equiparables a las que encarna la figura del Conquistador, la de un Cortés o un Pizarro. Su locura se convierte así en una forma de heroísmo, en una cualidad admirable.

Vemos, así pues, con cuánta frecuencia su locura, entendida estrictamente como patología, se ve relegada a un segundo término. Lo que no deja de ser normal tratándose, como en definitiva se trata, de una novela. Y la confusión entre realidad y creación literaria que la novela suscita en el lector no es, como en don Quijote, un síntoma de locura, sino señal de la singular capacidad de sugestión de la obra. El Quijote es un inmenso espacio literario en el que cabe encontrar de todo. Y hacer cábalas acerca de la locura de su protagonista es como preguntarse en qué hubiera cambiado el Ulises si Leopold Bloom no fuera judío o no estuviera al tanto de las citas amorosas de su mujer. Son hechos que hay que aceptar como parte integrante de la orografía del paisaje que se nos ofrece. Que la locura de don Quijote sea una alegoría de la empresa imperial española, de la sociedad de aquella época o de la vida del propio Cervantes es ya asunto de cada lector. En un reciente artículo, Gabriel Tortella destaca hasta qué punto es posible establecer un paralelo entre la peripecia vital de Cervantes y las andanzas de don Quijote. Pero las grandes novelas nunca son –por mucho que lo parezcan– una biografía de su autor ni el autor debe ser identificado con el protagonista; son eso sí, una proyección del yo, que no es lo mismo que ser una proyección de la vida de ese yo.

Para mí, el Quijote es una obra relatada con humor, además de origen, por su vastedad, de toda la novela moderna. Pero no es una lectura que produzca regocijo. La muerte del protagonista me provocó en su día tal congoja que no creo haber vuelto a ella en mis sucesivas lecturas de tal o cual fragmento. Es un caso parecido al del rey Lear, otro personaje límite. Harold Bloom afirma acertadamente que si la obra de teatro apenas se representa es porque la suerte de su protagonista se nos hace insoportable. Como la del Quijote. Como la de Cervantes.

Goytisolo, L.: *La locura de don Quijote* (adaptado),
Revista *Claves*.

1. Señala si es verdadero (V) o falso (F) según el texto.

V F

1. Freud, cuando analiza el fenómeno de considerar personas reales a los personajes de ficción, considera inútil estudiar el caso de don Quijote. ☐ ☐

2. Se da una gran controversia entre los lectores del *Quijote*. Unos lo perciben como un desgraciado, otros como un bufón. ☐ ☐

3. La mezcla entre creación literaria y realidad en el *Quijote* es síntoma de la capacidad de fascinación de la obra. ☐ ☐

4. Las grandes novelas y biografías son una proyección del yo. ☐ ☐

2. Elige la opción correcta.

1. **Para las personas que no han leído el *Quijote*...**
   a. su imagen se confunde con la de los conquistadores.
   b. se puede comparar a cualquier cómic para niños.
   c. su figura simboliza la esencia del heroísmo.

2. **La locura de don Quijote...**
   a. es una alegoría que cada lector puede constatar.
   b. puede ser interpretada de manera diferente por cada lector.
   c. se desprende de la peripecia vital de Cervantes.

3. Don Quijote-Don Juan   **dos mitos**

Elige uno de los dos personajes y expresa en breves palabras cómo ha sido visto don Quijote o don Juan a través de los tiempos.

enriquece tu
léxico

1. Relaciona las palabras del texto con sus sinónimos.

2. Encuentra el antónimo.

1.	fingir)	a.	odiar	
2.	preferente m	b.	opinión	
3.	histrión n	c.	subestimación	
4.	sensatez f	d.	justo	
5.	andanza q	e.	simbólico	
6.	desprecio c	f.	otorgar	
7.	relegar k	g.	loco	
8.	equiparable ñ	h.	naturaleza	
9.	suscitar o	i.	nombrar	
10.	cábala s	j.	simular	
11.	integrante r	k.	apartar	
12.	enajenado g	l.	juicio	
13.	detestar a	m.	prioritario	
14.	mencionar i	n.	cómico	
15.	entidad h	ñ.	comparable	
16.	razón l	o.	causar	
17.	atribuir f	p.	prudencia	
18.	alegórico e	q.	peripecia	
19.	cabal d	r.	componente	
20.	juicio b	s.	conjetura	

1.	detestar i	a.	perder	
2.	desventurado c	b.	cobardía	
3.	heroísmo b	c.	afortunado	
4.	aceptar h	d.	realidad	
5.	despreciar g	e.	omitir	
6.	ficción d	f.	cuerdo	
7.	encontrar a	g.	apreciar	
8.	enajenado f	h.	rechazar	
9.	regocijo j	i.	amar	
10.	mencionar e	j.	pesar	

¿y tú?

3. Completa con antónimos del ejercicio 2. Haz las transformaciones necesarias.

1 ▶ Cuando dio sus datos .....omitió........ deliberadamente su fecha de nacimiento.

2 ▶ Se dice que don Quijote es el loco más ......cuerdo...... entre todos los cuerdos.

3 ▶ .....Rechazó...... su propuesta porque no la consideraba viable.

4 ▶ No puede enfrentarse a la realidad porque su .....cobardía.... se lo impide.

5 ▶ Desde que lo conoció se siente la mujer más ....afortunada.de este mundo.

6 ▶ El aceite de oliva es un alimento muy ....apreciado.... para la salud.

4. Completa las frases con las palabras del vocabulario. Haz las transformaciones necesarias.

mencionar histrión congoja andanzas regocijo	ficción sensatez detestar atribuir incluso	enajenado extraer orografía desventurado fragmento	suscitar suerte alegórico relegar integrante

1 ▶ Lo que más .... en este mundo es que los desconocidos me hagan preguntas indiscretas.

2 ▶ Al dar las gracias a todas las personas que le habían apoyado, se olvidó de .... a su colaborador más importante.

3 ▶ El pobre se encontraba muy solo y cada vez que íbamos a verlo nos recibía con gran ....

4 ▶ Su novela no es autobiográfica como muchos piensan, es una historia de ....

5 ▶ Se sinceró conmigo y me dijo .... que había tenido una amante durante cinco años.

6 ▶ La palabra .... es de origen griego y significa 'estudio o descripción de las montañas'.

7 ▶ Queremos que impere la .... Por nada del mundo debemos perder la cabeza en un momento tan crítico.

8 ▶ A continuación leeremos un .... de *El Lazarillo de Tormes*, para que podáis comprender mejor la "novela picaresca".

9 ▶ Es uno de los principales .... del grupo político.

10 ▶ Es un ...., nadie le toma en serio.

11 ▶ La mujer, por su condición de madre, ha estado .... al papel de ama de casa durante mucho tiempo.

12 ▶ .... un gran número de críticas, pero él siguió con su proyecto haciendo oídos sordos.

13 ▶ Costas sintió una gran .... cuando tuvo que separarse de su mujer para ir a hacer un cursillo a los EE.UU.

14 ▶ Durante mis .... de juventud, conocí a todo tipo de gentes que enriquecieron mi personalidad.

15 ▶ Ayer fui al dentista y me dijo que tenía que .... dos muelas.

16 ▶ Era una pobre .... que se ganaba la vida cantando en los tugurios del puerto.

17 ▶ No hay que hacerle caso, es un ...., tendrían que internarle en un psiquiátrico.

18 ▶ *La vida es sueño,* de Calderón de la Barca, es una obra ....

19 ▶ Sus enemigos políticos le .... palabras que él nunca había pronunciado.

20 ▶ Se teme por la .... de los secuestrados por los terroristas.

5. Las palabras *desvirtuar, desventurado, despreciar* tienen en común el prefijo *des-*:

- ¿Sabes qué sentido tiene este prefijo?
- ¿Cuál sería el significado de estas palabras?
- ¿Recuerdas otras palabras con este prefijo? Escríbelas y explica en qué contexto las utilizarías.

Comprensión *Auditiva*

▶ Hostelería: ¿profesión con futuro?

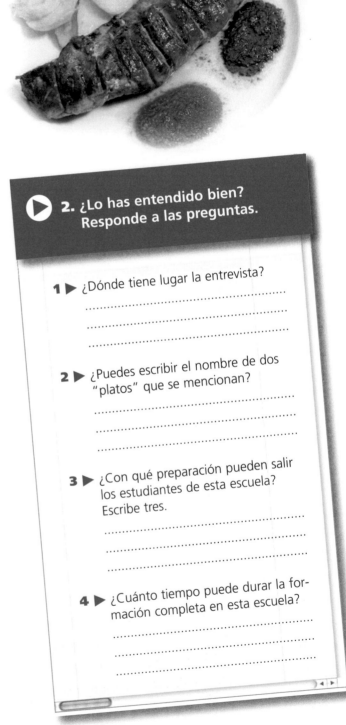

▶ **1.** Escucha el texto sobre la Escuela de Hostelería de Leyoa y di si las siguientes afirmaciones son verdaderas (V) o falsas (F).

	V	F
1 ▶ En el País Vasco existe una carrera universitaria llamada Gastronomía.	☐	☐
2 ▶ Los cocineros del futuro aprenden a cocinar codillos.	☐	☐
3 ▶ Los estudiantes devoran sus propios platos después de la clase diaria.	☐	☐
4 ▶ Los alumnos de esta escuela encuentran colocación fácilmente después de terminar sus estudios.	☐	☐
5 ▶ Los estudiantes no tienen problemas con el bocadillo que van a tomar en el recreo.	☐	☐

▶ **2. ¿Lo has entendido bien? Responde a las preguntas.**

1 ▶ ¿Dónde tiene lugar la entrevista?
....
....
....

2 ▶ ¿Puedes escribir el nombre de dos "platos" que se mencionan?
....
....
....

3 ▶ ¿Con qué preparación pueden salir los estudiantes de esta escuela? Escribe tres.
....
....
....

4 ▶ ¿Cuánto tiempo puede durar la formación completa en esta escuela?
....
....
....

Competencia Gramatical

1. **¿Eres una persona egoísta? Completa el siguiente test psicológico con la forma adecuada del verbo.**

1 ▶ Si *(enterarse)* ....(1).................... de una magnífica oferta de trabajo que le atrae y que también podría interesarle a un amigo suyo, ¿se lo diría?

    a. Claro que lo *(hacer)* ....(2).................., que gane el mejor.

    b. Se lo *(decir)* ....(3).................., a condición de que *(poder)* ...(4)................... presentarse usted mismo antes.

    c. Difícilmente se lo *(decir)* ...(5)...................; una cosa es la amistad y otra el trabajo.

2 ▶ En el caso de que un familiar *(desear)* ....(6)................... hablarle de un problema suyo, ¿le atendería usted?

    a. Le *(atender)* ...(7)..................., a no ser que no (tener) ...(8).................. mucho tiempo disponible.

    b. No, no solo por el tiempo que le *(llevar)* ...(9)..................., sino también porque no le gusta inmiscuirse en problemas ajenos.

    c. Siempre *(ayudar)* ...(10)................... a alguien que se lo pide y más aún si *(ser)* ...(11)................... de la familia.

3 ▶ No es una de sus mejores épocas, pero, en caso de que su pareja *(estar)* ...(12)................... atravesando una situación aún peor, ¿cuál *(ser)* ...(13).................... su actitud?

    a. Si *(ver)* ...(14)................... que tiene dificultades serias, *(hacer)* ...(15)................... un esfuerzo por ayudarla.

    b. Siempre está dispuesto a ayudar, a condición de que su pareja *(hacer)* ...(16)................... lo mismo.

    c. *(Distanciarse)* ...(17)................... hasta que mejorase su propia situación y entonces le *(echar)* ...(18)................... una mano.

4 ▶ Si alguna de las personas con las que convive *(dejar)* ...(19)................... la cocina hecha un desastre, ¿la recogería usted?

    a. Solo si se lo *(pedir)* ...(20)................... expresamente.

    b. Seguramente, la *(recoger)* ...(21)................... . Usted suele tener ese tipo de detalles.

    c. *(Pensar)* ...(22)................... que la tiene que recoger quien la haya desordenado.

5 ▶ Siempre y cuando *(ser)* ...(23)................... usted de esas personas que de vez en cuando hacen favores a los otros, ¿por qué los hace?

    a. Los hace solo si *(querer)* ...(24)................... conseguir algo que le interesa, aunque no sea evidente.

    b. Si lo *(hacer)* ...(25)................... es simplemente por hacerlos. No espera nada a cambio.

    c. Lo hace porque así en el futuro tendrán que corresponder, si usted lo *(necesitar)* ...(26)...................

6 ▶ En el supuesto de que un compañero de trabajo le *(pedir)* (27)................... que le sustituya un *puente*[1], ¿lo *(hacer)* ...(28)...................?

    a. No, no *(sacrificar)* ...(29)................... un *puente* aunque no tenga planes especiales.

    b. Si *(ser)* ...(30)................... tan importante para su compañero *(ceder)* ...(31)................... a cambio de otra fecha similar.

    c. Claro que lo *(sustituir)* ...(32)................... . A usted le da lo mismo.

AA.VV.: *El libro de los test* (adaptado), Madrid, Temas de Hoy.

Puntos	1	2	3	4	5	6
a	0	1	0	1	2	2
b	1	2	1	0	0	1
c	2	0	2	2	1	0

Hasta 3 puntos: *Si los demás le toman por tonto, es un problema de apreciación por parte de esas personas. Usted es bueno.* **De 4 a 10 puntos:** *Ni es egoísta ni es desprendido, ni es avaricioso ni deja de serlo, su ambición aparece por rachas.* **A partir de 11 puntos:** *¡Caray! Usted solo va a lo suyo. Es usted realmente egoísta.*

[1] *Puente:* día o serie de días que entre dos festivos o sumándose a uno festivo se aprovechan para vacación.

Competencia *Gramatical*

2. Une las siguientes frases utilizando la estructura condicional indicada. Haz las transformaciones necesarias.

1▶ No haber un gran atasco. Llegar antes. *(gerundio)*

2▶ Obtener el préstamo del banco. Comprar esa casa. *(a condición de que)*

3▶ Visitar a nuestros familiares más a menudo. Vivir más cerca. *(de + infinitivo)*

4▶ Poder publicar la novela. Tener una subvención. *(en caso de)*

5▶ Poder cambiar de país. Vivir en Iberoamérica. *(en el supuesto de que)*

6▶ Firmar los acuerdos de Kioto. Contribuir al cambio climático. *(siempre y cuando)*

7▶ Dejar un mensaje. No estar en casa. *(si)*

8▶ Tener una educación. Llegar a ser lo que es. *(si + p. pluscuamperfecto subjuntivo)*

9▶ Llamar los agentes comerciales. Decirles que estamos en una reunión. *(en caso de que)*

10▶ Ir de vacaciones este año. Tocar la lotería. *(a menos que)*

3. ¿*Ser* o *estar*? Completa el texto de Fernández-Santos con los tiempos y modos adecuados.

Cabeza rapada

.....(1)..................... un viento templado. Las hojas volaban llenando la calzada, remontándose hasta caer de nuevo desde las copas de los árboles. Su cabeza rapada al cero aparecía oscura del sudor y el sol, como las piernas con sus largos pantalones de pana. No había cumplido los diez años; ...(2)..................... un chico pequeño. Íbamos andando a través de aquel amplio paseo [...] Menudas y rojizas hojas secas, pardas, como de castaño enano o abedul, llenaban todos los huecos por pequeños que ...(3)....................., pegándose a nosotros como el alma al cuerpo.

[...] Aunque no hacía frío nos arrimamos a una hoguera. [...] Allí ...(4)..................... un buen rato, llenando de él nuestros pulmones, hasta que el chico se puso a toser de nuevo.

– ¿Te duele? –le pregunté.

Y contestó:

– Un poco –hablando como con gran trabajo.

– Podemos ...(5)..................... un poco más, si quieres.

Dijo que sí, y nos sentamos. ...(6)..................... enormes aquellos árboles, flotando sobre nosotros [...] El chico volvió a quejarse.

– ¿Te duele ahora?

– Aquí, un poco...

Se llevó la mano bajo la camisa. ...(7)..................... de piel blanca, sin rastro de vello, cortada como las manos de los que en invierno trabajan en el agua. [...]

– No te apures; ya pasará como ayer.

[...] – Este chico no ...(8)..................... bueno.

– ¡Qué va! No ...(9)..................... más que frío...

El chico no decía palabra. Miraba el fuego pesadamente, casi dormido...

– No ...(10)..................... bueno.

Fernández-Santos, J.: "Cabeza rapada" en *Antología del cuento español* (adaptado),
Alianza Editorial, Madrid.

Competencia Gramatical

4. Completa el texto con las palabras que te damos a continuación.

El Amazonas

En este llamativo estado hay zonas en las que solo se permite viajar de forma independiente a científicos y misioneros, ...(1)........ los campamentos permiten explorar el interior a grupos de turistas.

Abundancia natural

En el estado de Amazonas crecen unas 8.000 especies de plantas aproximadamente, 7.000 de las .....(2)........ son endémicas. Orquídeas, bromelias y musgo alfombran la selva tropical lluviosa con una cubierta .....(3)........ espesa e inmensa que parece impenetrable. Los jaguares merodean en la profundidad de la selva, ...(4)........ ocelotes, venados, tapires, osos hormigueros gigantes, pecarís y media docena de diferentes especies de monos.

En este estado hay 680 especies de aves, que incluyen tucanes de magníficos colores, loros y guacamayos. También hay insectos en abundancia: cientos de familias diferentes y sus diversas clases, incluidas mariposas de intensos colores fosforescentes y cucarachas de .....(5)........ 15 centímetros. Los escorpiones y las tarántulas corren por el suelo de la jungla y en sus ríos abundan las anguilas eléctricas, las pirañas, los caimanes y cocodrilos, los pavones, los delfines de agua dulce y la tortuga terecay, ...(6)........ en vías de extinción.

Un ecosistema delicado

.....(7)........ el Amazonas muestra una vida exuberante, el ecosistema de la selva tropical lluviosa es muy delicado y .....(8)........ se despeja terreno para dedicarlo a la agricultura los nutrientes poco profundos se filtran y las lluvias los arrastran, dejando a su paso un paisaje desértico.

.....(9)........ 6,3 millones de hectáreas de este estado disfrutan de la protección que les otorga el régimen especial que le confirió el Ministerio de Medio Ambiente.

Guía Turística de Venezuela (adaptado),
Guías Océano, Barcelona.

> a pesar de que
> casi
> tan
> hasta
> junto con
> aunque
> cuales
> por desgracia
> cuando

5. ¿Qué preposición falta?

1 ▶ No era responsable .... sus actos, pues se encontraba bajo los efectos de las drogas.

2 ▶ Debes decidir qué quieres hacer en tu vida y centrarte solo .... eso.

3 ▶ A mí me tienen .... cuidado los comentarios de los vecinos, si te pasas la vida pensando en el qué dirán pierdes tu libertad.

4 ▶ Llegaron incluso .... decir que el niño no era hijo suyo, que era de su hermana pequeña.

5 ▶ Veía .... todo aquello un intento de reconciliación por su parte, pero yo no estaba por la labor.

6 ▶ Aunque es un tipo difícil, con una dosis .... paciencia podrás entenderte bien con él.

7 ▶ El equipo de esquí viene .... costar unos 1.000 euros.

8 ▶ No conozco personalmente a la familia Zubizarreta, solo .... oídas.

9 ▶ No hay nada equiparable .... el amor de una madre por sus hijos.

10 ▶ Fue relegado .... los trabajos más ingratos, pero no se dio por vencido.

11 ▶ Se creó una gran confusión .... los pasajeros cuando anunciaron por los altavoces que nos pusiéramos los salvavidas.

12 ▶ Mi hermana era muy traviesa en el colegio, y luego la profesora me identificó a mí .... ella.

13 ▶ .... motivo de las fiestas de Navidad, se montó un gran carrusel en la plaza de Quevedo.

Competencia*Gramatical*

6. *¿Indicativo o Subjuntivo?*

Como agua para chocolate

[...] [La muerte de Nacha] *(tener)* ⁽¹⁾.............................. a Tita en un estado de depresión muy grande. (...) *(Ser)* ⁽²⁾.......................... como si *(morir)* ⁽³⁾.......................... su propia madre. Pedro [...] *(pensar)* ⁽⁴⁾.......................... que *(ser)* ⁽⁵⁾.......................... bueno llevarle un ramo de rosas al cumplir su primer año como cocinera. Pero Rosaura no *(opinar)* ⁽⁶⁾.......................... lo mismo, y en cuanto lo *(ver)* ⁽⁷⁾.......................... entrar con el ramo en las manos y dárselo a Tita en vez de a ella, *(abandonar)* ⁽⁸⁾.......................... la sala presa de un ataque de llanto. [...] Tita *(apretar)* ⁽⁹⁾.......................... las rosas con tal fuerza contra su pecho, que, cuando *(llegar)* ⁽¹⁰⁾.......................... a la cocina, las rosas, que en un principio *(ser)* ⁽¹¹⁾.......................... de color rosado, ya *(volverse)* ⁽¹²⁾.......................... rojas por la sangre de las manos y el pecho de Tita. *(Tener)* ⁽¹³⁾.......................... que pensar rápidamente qué hacer con ellas. ¡*(Estar)* ⁽¹⁴⁾.......................... tan hermosas! No *(ser)* ⁽¹⁵⁾.......................... posible titarlas a la basura, en primera porque nunca antes *(recibir)* ⁽¹⁶⁾.......................... flores y en segunda, porque *(dárselas)* ⁽¹⁷⁾.......................... Pedro. De pronto, *(escuchar)* ⁽¹⁸⁾.......................... claramente la voz de Nacha, *(dictar, a ella)* .... al oído una receta prehispánica donde *(utilizarse)* ⁽¹⁹⁾.......................... pétalos de rosa.

Cuando *(sentarse, ellos)* ⁽²⁰⁾.......................... a la mesa [...] Pedro *(exclamar)* ⁽²¹⁾.......................... cerrando los ojos con verdadera lujuria: ¡Este *(ser)* ⁽²²⁾.......................... un placer de los dioses!

[...] Rosaura, pretextando náuseas y mareos no *(poder)* ⁽²³⁾.......................... comer más que tres bocados. En cambio a Gertrudis algo raro le *(pasar)* ⁽²⁴⁾.......................... *(Parecer)* ⁽²⁵⁾.......................... que el alimento que *(estar)* ⁽²⁶⁾.......................... ingiriendo *(producir)* ⁽²⁷⁾.......................... en ella un efecto afrodisíaco, pues *(empezar)* ⁽²⁸⁾.......................... a sentir que un intenso calor le *(invadir)* ⁽²⁹⁾.......................... las piernas. Un cosquilleo en el centro de su cuerpo no la *(dejar)* ⁽³⁰⁾.......................... estar correctamente sentada en su silla. *(Empezar)* ⁽³¹⁾.......................... a sudar y a imaginar qué *(sentirse)* ⁽³²⁾.......................... al ir sentada al lomo de un caballo, abrazada [...] por uno de esos que *(ver)* ⁽³³⁾.......................... una semana antes entrando a la plaza del pueblo...

Esquivel, L.: *Como agua para chocolate* (adaptado),
Mondadori, Barcelona.

POR

► **Causa, motivo, razón:** *El partido se suspendió por la lluvia.*
► **Tiempo:**
  ► Tiempo aproximado: *Eso fue por mayo.*
  ► Frecuencia: *Hago gimnasia tres veces por semana.*
  ► Lapso de tiempo = *durante*: *Este cambio es solo por unos días.*
  ► Partes del día: *Por la mañana, por la tarde, por la noche.*
► **Localización:**
  ► Lugar aproximado: *Ese pueblo está por Lugo.*
  ► Lugar que se atraviesa o recorre: *Han viajado por toda Europa.*
  ► A lo largo de: *Bajó por las escaleras.*
► **En representación de, en nombre de:** *Firma por mí.*
► **Medio, modo:** *Te lo enviaré por correo aéreo. Lo hicieron por las buenas.*
► **Valor concesivo** *(aunque)*: *Por mucho que trabaje, no ascenderá.*
► **A cambio de, precio, cuantía:** *Lo compré por poco dinero.*
► **Complemento agente:** *Fue detenido por la policía.*
► **En busca de:** *Iré por ti a la estación.*
► **Sin:** *Tengo todavía muchos ejercicios por corregir.*
► **Sentimientos** (en beneficio de, en defensa de)**:** *Siento una gran admiración por su obra.*
► **Implicación personal:** *Por mí no hay problema, puedes hacerlo.*

Competencia *Gramatical*

▶ **Finalidad, objetivo, destino, meta:** *Abrió la puerta del garaje para meter el coche.*

▶ **Tiempo:**

  ▶ Límite temporal en el futuro, final de un plazo: *Para las dos estará listo.*

  ▶ Antes de la fecha: *Lo tendremos terminado para su cumpleaños.*

  ▶ Hasta: *Dejaron lo que estaban haciendo para otro momento.*

  ▶ Ir para + tiempo = *hace casi*: *Va para dos años que se conocen.*

▶ **Movimiento** (en dirección a, hacia)**:** *Van para casa.*

▶ **Punto de vista, opinión:** *Para mí ese tema es de suma importancia.*

▶ **Dedicado, destinado a:** *Este libro es para ti.*

▶ **Contraposición** *(aunque)*: *Para ser extranjero pronuncia muy bien.*

▶ **Contraste entre un hecho determinado y otro que lo desmiente.** *(para que* + subj.)
Al final vinieron todos a la fiesta. ¡Para que luego digas que no tienes amigos!

▶ **Valoración negativa de una acción + acción preferible.** *(para* + *lo que* + verbo + *mejor...)*
Para lo que hace, mejor que se quede en casa.

Otras expresiones:
Por favor, por Dios, por si las moscas, por si acaso, por descontado, por supuesto, por cierto, por fin, por más que, por mucho que, por lo bajo, por sorpresa, por suerte, por desgracia, por ahora, por lo visto, por lo menos, por fuera, por dentro, etc.

Para bien o para mal, para colmo (de males), para más inri, para sus adentros, etc.

7. *¿Por o para?*

Primeros amores

Samuel era un niño un poco raro para su edad ...(1)............... la gran cantidad de libros que leía. Se levantaba ...(2)............... las mañanas temprano ...(3)............... leer antes de ir al colegio. Si alguna vez se portaba mal, sus padres le prohibían leer ...(4)............... castigarlo, aunque no lo conseguían ...(5)............... más que lo intentaran, pues Samuel siempre se las ingeniaba ...(6)............... seguir con sus lecturas. Siempre pedía libros ...(7)............... Navidad y ...(8)............... regalo de cumpleaños, y no se sentía atraído ...(9)............... los juguetes que recibían sus hermanos.

...(10)............... la maestra era el alumno ideal, pero ...(11)............... sus compañeros Samuel era un bicho raro, y le pusieron el mote de "libritos" –...(12)............... el que era conocido en toda la escuela–. ...(13)............... él eso era un honor ...(14)............... la superioridad intelectual que indicaba.

Sus problemas empezaron con la adolescencia y el interés que empezaba a sentir ...(15)............... las chicas y, en concreto, ...(16)............... Rosa.

Samuel estaba dispuesto a todo ...(17)............... despertar la admiración de Rosa, pero no sabía qué hacer. ...(18)............... colmo de males, Samuel era muy tímido y si se encontraba con ella ...(19)............... los pasillos de la escuela, le daba ...(20)............... silbar y mirar ...(21)............... otro lado ...(22)............... ocultar su emoción.

...(23)............... fin, un día Samuel encontró valor suficiente ...(24)............... agarrarla suavemente ...(25)............... el brazo y preguntarle ...(26)............... su ausencia durante unos días:

"¿Has estado enferma, Rosa? Estaba preocupado ...(27)............... ti.

Desde aquel día, y ...(28)............... muchos años, Samuel y Rosa fueron íntimos amigos hasta que las circunstancias de la vida acabaron ...(29)............... separarlos ...(30)............... siempre.

Expresión e interacción
Escrita

REFERENCIAS

s/ref. (su referencia): se utiliza sólo en respuesta a una carta. El tema de la referencia puede ser:

- La fecha de la carta.
- El asunto de la carta.

n/ref. (nuestra referencia): normalmente aparecen las iniciales del autor de la carta (en mayúsculas). En algunas ocasiones puede aparecer un número que hace referencia al código de archivo.

s/ref.: PJ

n/ref.: MS/245

s/ref.: envío de catálogo

ASUNTO
Normalmente el asunto resume en pocas palabras el contenido o motivo de la carta.

Asunto:
envío lista de precios

Asunto:
reclamación de daños

Asunto:
oferta del mes

¡ACCIÓN!

Siento tener que rechazar su oferta

Rechaza una propuesta.

▶ Has terminado tu formación como Guía Turístico; tienes un amigo español que te ha puesto en contacto con una agencia de viajes mexicana que busca contactos en el extranjero para ampliar su oferta turística. Dicha agencia te ha ofrecido un puesto de trabajo, pero no te interesa. Escríbeles una carta en la que deberás:

- ▶ Agradecer su oferta.
- ▶ Rechazar amablemente la propuesta que te hacen.
- ▶ Explicar las causas de dicho rechazo.
- ▶ Despedirte dejando "una puerta abierta" a otras posibilidades.

Recursos

Dar las gracias por algo:
Le estoy muy agradecido/a...
Le agradezco...
Querría darle las gracias...

Rechazar algo:
Siento tener que rechazar...
Lamento tener que comunicarle...
Lo cierto es que en estos momentos no...

Locuciones causales:
Dado que...
Puesto que...
Ya que...
Como...
Como quiera que...
Por culpa de...
Debido a...

Locuciones condicionales:
En el caso de (que)...
En el supuesto de (que)...
Salvo (que)...
A ser posible...

¡ACCIÓN!

Elogio del turista

Cuenta tu experiencia.

"Una diferencia separa a los conspicuos viajeros del siglo XIX de los turistas de hoy. Aquéllos afirmaban su peculiaridad, adensaban su biografía y ganaban consistencia a través de las peripecias que les sucedían en sus trayectos, pero al turista de hoy no le sucede nada de esto, pues viaja para ver y a salvo de peripecias, incluso al resguardo del contacto con los indígenas y sus enfermedades."

"El viajero tradicional llegaba de su odisea y no paraba de contar los hechos y sucesos que le habían acaecido, escribía libros, se convertía en el ascua de las tertulias [...] El turista contemporáneo, por el contrario, cuando regresa, no importa el lugar donde haya estado ni el tiempo consumido, no tiene nada que decir."

Verdú, V.: *Revista de Occidente.*

Vicente Verdú afirma que a diferencia del viajero tradicional, "El turista contemporáneo,(...) cuando regresa, no importa el lugar donde haya estado ni el tiempo consumido, no tiene nada que decir."

▶ ¿Puedes rebatir ésta frase? ¿Estás de acuerdo con lo que dice Verdú? ¿Qué diferencia hay entre un viajero y un turista, según tu punto de vista?

▶ Cuenta un viaje (entre 150 y 200 palabras) del que sí tengas algo importante que decir. Para ello deberás tener en cuenta los siguientes supuestos:

   ▶ **Qué tipo de viaje hiciste:** organizado, por tu cuenta, solo o con amigos, etc.

   ▶ **Describe el lugar que visitaste:** dónde estaba, cómo era, qué había, etc.

   ▶ **¿Qué te sorprendió? ¿Cómo eran los lugareños y cuáles eran sus tradiciones, su alimentación, etc.?**

   ▶ **¿Por qué fue tan importante ese viaje para ti?**

   ▶ **Cuenta algunos hechos que quedaron grabados en tu memoria.**

La descripción consiste en:
- Mostrar con las palabras una realidad concreta o abstracta.
- Informar sobre cómo son los lugares, objetos, ambientes, personas, procesos, emociones o conceptos.
- Explicar, de forma detallada y ordenada, cómo son las personas, los lugares o los objetos.

La narración consiste en contar una serie de hechos reales o imaginarios que les suceden a unos personajes en un lugar y tiempo concretos.

Expresión e interacción *Oral*

La lengua nuestra *de cada día*

Cada oveja con su pareja

1. Relaciona las expresiones con su definición.

1 ▶ Ser de armas tomar.
2 ▶ Estar como unas Pascuas.
3 ▶ Tirar la casa por la ventana.
4 ▶ Escurrir el bulto.
5 ▶ Ser la casa de Tócame Roque.

a ▶ Evitar o eludir un riesgo o compromiso.

b ▶ Ser demasiado atrevido, peligroso, autoritario.

c ▶ Lugar sin orden ni disciplina, donde uno hace lo que quiere.

d ▶ Estar alegre y contento.

e ▶ Derrochar alegremente en una ocasión.

¿A que no sabes?

2. Completa las siguientes frases con las expresiones anteriores.

a. Es mejor que no te enfrentes a él, es un tipo ....

b. Éramos diez hermanos y mis padres no sabían imponernos una disciplina, así que aquello ....
....

c. ¡Por fin vamos a hacer el viaje a Sudamérica que durante tanto tiempo habíamos programado! Constantino y yo ....
....

d. Se casó su única hija y decidieron ....

e. Voy a tratar de ....
porque no quiero participar en ese proyecto. Estoy harta de tanto trabajar.

En otros lugares

3. Contesta a las preguntas.

Nota: para conocer más expresiones te recomendamos *Hablar por los codos*, Vranic, G.

¿Cuándo "tirarías la casa por la ventana"?

¿En qué situaciones "escurrirías el bulto"?

Expresión e interacción *Oral*

Hablando se entiende la gente

Del segundo sexo al "otro sexo"

Lee la siguiente información.

Cuando decimos que ahora hemos de mirar el mundo con ojos de mujer o que las mujeres son imprescindibles en la construcción de la sociedad, ¿qué queremos decir? Por ejemplo, planteo algunas preguntas, que la sociedad ha de contestar, y el feminismo es el que debería hacer más esfuerzos de reflexión para poder avanzar en estas cuestiones:

- *¿Tenemos que considerar, como se ha hecho a menudo, que la maternidad es sólo una servidumbre de las mujeres, y no una fuente de creatividad y placer?*

- *¿Tenemos que considerar como síntoma de igualdad que una mujer tenga que trabajar incluso embarazada de nueve meses para demostrar que lo puede hacer igual que un hombre?*

- *¿Tenemos que aceptar que el ideal de vida es trabajar 10 horas diarias como mínimo?*

Gallego, J.: *Claves de la razón práctica* (adaptado).

Mirar al mundo con ojos de mujer

Participan en el debate:

- Hombres en contra de que las mujeres casadas con hijos trabajen fuera del hogar.
- Mujeres defensoras del derecho a trabajar fuera para poder realizarse como personas y al mismo tiempo sentirse independientes económicamente.
- Mujeres profesionales que renuncian a tener una familia.
- Hombres que apoyan a las mujeres que trabajan fuera del hogar.

Prepara tu intervención. ▶ Elige uno de los papeles anteriores y reflexiona sobre los siguientes aspectos desde ese punto de vista.

- ▶ Los roles de cada sexo en el seno de la familia.
- ▶ Aportación del feminismo a la liberación de la mujer.
- ▶ Igualdad de derechos laborales para los dos sexos.
- ▶ Trabajos exclusivos de hombre o de mujer.

Debate

▶ Organizad un debate en la clase:

- ▶ El moderador abre el debate planteando las preguntas que se hace J. Gallego en el texto inicial.
- ▶ Se tratan los aspectos de reflexión punto por punto.

EXPRESIÓN DE LA CONDICIÓN

▶ **Con indicativo:** excepto con el futuro (simple y compuesto) y el condicional (simple y compuesto). Condición probable con *si*.

  ▶ *si: Si puedo, lo haré.*

  ▶ *por si (acaso): Llévate el paraguas, por si llueve.*

▶ **Con subjuntivo:** condición improbable o imposible con *si* y todas las demás partículas y locuciones.

  a. Si se refiere al presente o al futuro (*si* + p. imperfecto + condicional simple).
  Si viniera antes, vería el espectáculo completamente.

  b. Si se refiere al pasado (*si* + p. pluscuamperfecto + condicional compuesto / p. pluscuamperfecto).
  Si me hubiera acordado te lo habría/hubiera dicho.

  c Si la primera parte se refiere al pasado, la segunda al presente (*si* + p. pluscuamperfecto + condicional simple).
  Si no hubiera nevado tanto esta noche, ahora podríamos salir de casa.

  d. Si la primera parte tiene un valor intemporal y la segunda se refiere al pasado (*si* + p. imperfecto + condicional compuesto / p. pluscuamperfecto).
  Si estuviera aquí, se habría / hubiera enterado de todo.

Otras partículas y locuciones condicionales:

  ▶ *como: Te castigaré como salgas de casa.*

  ▶ *en (el) caso de que: En el caso de que llame, dile que ya lo sé.*

  ▶ *(solo) con que: Con que llueva un poco, me conformo.*

  ▶ *a condición de que: Te regalo el encendedor a condición de que lo utilices.*

  ▶ *a menos que / a no ser que / excepto que / salvo que: Haz lo que te han dicho, a menos que sea peligroso.*

  ▶ *en el supuesto de que: Saldrá de prisión en el supuesto de que lo indulten.*

  ▶ *siempre que / siempre y cuando: Te compraré una bicicleta siempre que seas buena.*

  ▶ *con tal (de) que: Conseguirás el premio con tal de que te lo propongas.*

  ▶ *no sea / vaya a ser que: Coge el paraguas, no sea que llueva.*

▶ **Con formas no personales:**

- ▶ *(en [el]) caso de* + infinitivo / nombre: *En caso de llegar antes / de retraso, te esperaríamos.*
- ▶ *a condición de* + infinitivo: *Me lo regaló a condición de utilizarlo.*
- ▶ *en el supuesto de* + infinitivo: *En el supuesto de resultar premiados, comuníquennoslo inmediatamente.*
- ▶ *con tal de* + infinitivo: *Hace lo que sea con tal de llamar la atención.*
- ▶ *a ser posible:* *A ser posible, termínalo ahora mismo.*
- ▶ *a decir verdad:* *A decir verdad, no nos gusta gran cosa el caviar.*
- ▶ *de* + infinitivo: *De haberte dado una ducha, no hubieras tenido tanto calor.*

  gerundio: *Jugando con inteligencia, podrás ganar el partido.*

  participio: *Carlos, tratado con bondad, es buena persona.*

Para consolidar y ampliar tus conocimientos te recomendamos…

Oscar Cerrolaza Gili

Diccionario
práctico de
gramática
800 fichas de uso correcto del español

edelsa
GRUPO DIDASCALIA, S.A.

Los únicos tiempos que no pueden aparecer en la oración subordinada condicional son el *futuro y el *condicional, ni simples ni compuestos.

95

Unidad 6

Comprensión *Lectora*

► **Adela Cortina:** *Por una ética del consumo.*

► **Más de cerca:** actividades y estrategias de control de la comprensión.

► **Enriquece tu léxico:** actividades y estrategias para ampliar el vocabulario.

Comprensión *Auditiva*

► **Radio Nacional de España:** *La Mancha: una región de España.*

► Actividades y estrategias de control de la comprensión.

Competencia *Gramatical*

Contenidos propios de la unidad

► Oraciones comparativas y modales.

Contenidos generales

► Contraste *ser / estar.*

► Completa con las palabras y expresiones de la lista.

► Preposiciones.

► Tiempos y modos verbales.

Algo más

► Valores de *SE.*

Expresión e interacción *Escrita*

▶ **Escribir una carta** para convencer y persuadir. Despedirse esperando una respuesta. Expresiones útiles.

▶ **Dar tu opinión.** Comprar a cualquier precio.

Expresión e interacción *Oral*

▶ **La lengua nuestra de cada día:** expresiones, refranes y frases hechas.

▶ **Hablando se entiende la gente:** ¿Derecho a morir?

▶ **Debate.**

Recuerda Gramatical

▶ Oraciones comparativas y modales.

Unidad 6

Adela Cortina
(1947)

DATOS BIOGRÁFICOS

Doctora en Filosofía. Es catedrática de Filosofía Jurídica, Moral y Política de la Universidad de Valencia; trabajó como becaria de la DAAD (Deutscher Akademischer Austauschdienst) y de la Alexander von Humboldt-Stiftung, y profundizó estudios en las Universidades de Munich y Francfort.

Directora de la La Fundación ÉTNOR, para la Ética de los Negocios y las organizaciones, promueve el estudio, el desarrollo y la difusión de la Ética Económica y Empresarial, así como el respeto de los comportamientos éticos y los valores morales en la actividad empresarial y organizativa. Autora de diversas publicaciones y directora de proyectos de investigación sobre Ética, en sus aspectos de fundamentación y aplicación a la Educación, la Empresa, las Biotecnologías y la Medicina, y de Filosofía Política. Ha participado en proyectos y congresos en América Latina.

SU OBRA

Ha publicado, entre otros trabajos, *Razón comunicativa y responsabilidad solidaria* (1985), *Crítica y utopía, La escuela de Frankfurt* (1985), *Ética mínima* (1986), *Ética sin moral* (1990), *La moral del camaleón* (1991), *Ética aplicada y democracia radical* (1993), *La Ética de la sociedad civil* (1994), *Ciudadanos del mundo* (1997), *Alianza y Contrato* (2001) y *Por una ética del consumo* (2002).

Por una ética del consumo

Ciudadano es aquel que es su propio señor, junto a sus iguales. Ciudadano es el que no es súbdito, el que no es vasallo, el que es dueño de su vida.

Nuestra época puede ser llamada "era del consumo" porque en las sociedades actuales el consumo ha aumentado rapidísimamente. Una sociedad consumista es aquella cuya dinámica central está basada en los bienes de consumo superfluos y en la que la gente cifra su éxito y su felicidad en ese consumo. En nuestras sociedades las gentes están convencidas de que tener éxito es poder lucir coches, vestidos, etc., y que esto les proporciona felicidad. Estamos en la era del consumo porque el consumo está en la médula de nuestras sociedades. En él "vivimos, nos movemos y somos". Nos parece lo natural y que lo artificial es cambiar ese estilo. Si los seres humanos nos caracterizamos como tales por ser conscientes, nuestro deber es tomar conciencia de lo que estamos haciendo; darnos cuenta de que esa es la dinámica de nuestras sociedades. Preguntémonos si nos gusta. ¿Queremos seguir haciendo lo mismo, o no lo queremos? Se supone que somos seres libres y esto debe llevar a preguntarnos: ¿Qué se consume? ¿Quién lo consume? ¿Quién decide lo que se consume?

Tres son las posibles respuestas típicas en las que es importante que pensemos:

a) Algunos dicen que el consumidor es soberano, que consume lo que quiere libremente. Esta respuesta constituye la línea neoliberal.

b) Otros dicen que el consumidor es un vasallo, porque el productor es un tirano. Los productores, los empresarios, producen y consiguen que la gente consuma aquello que ellos quieren que sea consumido. Esta es la línea de Galbraith y de toda su escuela, que está todavía muy viva.

c) La tercera posición es la de Daniel Miller, quien afirma que estamos en una nueva época. Antes se entendía que el proletariado era la vanguardia de la transformación social; pero ahora son los consumidores la vanguardia de la historia. La vanguardia ha pasado de la clase productora a la clase consumidora. Los consumidores somos quienes podemos transformar la sociedad y hacer la revolución. Antes se decía que los que debían hacerla eran los proletarios; ahora que los consumidores.

Pero yo ofrezco una cuarta respuesta: la de la "ciudadanía del consumidor". Es llamativo que no se haya evaluado el consumo desde el punto de vista ético, cuando se supone que es

la raíz de nuestro comportamiento. Para poder hacerlo escogí cuatro parámetros: a) si nos parece liberador, b) si nos parece justo, c) si nos parece responsable, y d) si nos parece generador de felicidad.

Pero hay otro capítulo que a mí me parece especialmente interesante: la falta de conocimiento sobre las propias motivaciones por las que consumimos. Consumimos comparándonos con otros, y cuando vemos que el otro posee algo distinto, consciente o inconscientemente empezamos a desearlo. La emulación es la principal fuente de consumo. Queremos tener lo que tiene el vecino, queremos tener lo que aparece en TV como propio de una clase social ideal a la que quisiéramos pertenecer. Otras motivaciones del consumo son el afán de compensación, la necesidad de demostrar éxito mediante bienes de consumo costosos que aumentan nuestra autoestima, y las creencias. La gente cree consumir lo que necesita, pero en realidad consume lo que la sociedad cree que se debe consumir. Galbraith habla del efecto de dependencia que la producción crea en la gente a través de la publicidad. En las sociedades consumistas nunca hay bastante. Existe la sensación de que hay que producir para satisfacer las necesidades de la gente, pero las necesidades son infinitas y esto produce una insatisfacción permanente.

Yo propongo un consumo liberador a través de la toma de conciencia; tenemos que concienciarnos de cuáles son las motivaciones del consumo. Si no lo hacemos, no sabemos por qué consumimos y somos esclavos. Además el consumo tiene que ser justo y co-responsable, es decir, que tenemos que echar mano de asociaciones, instituciones y grupos tanto en el nivel civil como en el nivel político para luchar por ese consumo justo y liberador.

Finalmente, propongo que el consumo sea generador de felicidad. Todos los seres humanos queremos ser felices. Decía Aristóteles que los seres humanos tendemos a la felicidad, pero yo me pregunto si las sociedades más consumidoras son más felices.

En algunos de los estudios recogidos parece que las actividades más gratificantes no son las que se basan en los bienes de consumo más caros, sino algunas actividades de ocio (leer libros, ver películas, ir a conciertos), que necesitan muy poco gasto.

Es importante recapacitar y ver si no hay que poner otra vez sobre el tapete ese tipo de actividades que son generadoras de felicidad.

Cortina, A.: *Por una ética del consumo* (adaptado),
Taurus, Madrid.

1. Señala si es verdadero (V) o falso (F) según el texto.

	V	F
1. Una sociedad es consumista cuando a través del consumo consigue la felicidad.	☐	☐
2. La dinámica actual de las sociedades desarrolladas está basada en el consumo superfluo.	☐	☐
3. Los neoliberales piensan que el soberano es un consumidor libre.	☐	☐
4. La escuela de Galbraith cree que el productor impone sus productos al consumidor.	☐	☐
5. Daniel Miller afirma que los consumidores somos ahora la vanguardia del proletariado.	☐	☐
6. La emulación del prójimo nos ayuda a ascender de clase social.	☐	☐

2. Elige la opción correcta.

1. **Las sociedades consumistas se caracterizan por...**

a. la sensación general de insatisfacción que tienen los individuos.

b. la creencia de que la sociedad que consume progresa.

c. la necesidad de triunfar a costa de lo que sea.

2. **El consumo liberador que propone Adela Cortina significa...**

a. un consumo consciente de la responsabilidad de las instituciones en el mercado.

b. que ha de hacerse a través de grupos o asociaciones que nos dirijan.

c. que consumimos lo que nos interesa y que los productos se han elaborado en condiciones de justicia social.

3. Haz un resumen.

Resume cada párrafo del texto en una idea general que sirva como epígrafe introductorio para ese párrafo.

enriquece tu
léxico

1. Relaciona las palabras del texto con sus sinónimos. ✗

1.	súbdito *d*	a.	autócrata *a*		
2.	bienes *e*	b.	principio *16*		
3.	superfluo *f*	c.	sensato *15*		
4.	lucir *l*	d.	vasallo *1*		
5.	proporcionar *m*	e.	seleccionar *13*		
6.	médula *j*	f.	innecesario *3*		
7.	típico *h*	g.	dicha *14*		
8.	soberano *p*	h.	característico *7*		
9.	tirano *a*	i.	riquezas *2*		
10.	consumir *o*	j.	meollo *6*		
11.	evaluar *q*	k.	origen *12*		
12.	raíz *k*	l.	alardear *4*		
13.	escoger *e*	m.	dar *5*		
14.	felicidad *g*	n.	reflexionar *19*		
15.	consciente *c*	ñ.	ilimitado *20*		
16.	fuente *b*	o.	gastar *10*		
17.	afán *r*	p.	rey *8*		
18.	costoso *s*	q.	valorar *11*		
19.	recapacitar *n*	r.	anhelo *17*		
20.	infinito *ñ*	s.	caro *18*		

2. Encuentra el antónimo.

1.	superfluo	a.	quitar
2.	cambiar	b.	barato
3.	proporcionar	c.	necesario
4.	típico	d.	irresponsable
5.	interesante	e.	permanecer
6.	felicidad	f.	atípico
7.	poseer	g.	limitado
8.	costoso	h.	carecer
9.	infinito	i.	nimio
10.	consciente	j.	desventura

¿y tú? ✗

3. Contesta a las preguntas.

- Ya conoces el significado de la palabra *superfluo*, ¿qué cosas consideras que son superfluas en nuestra vida?

- Aparte de las cosas materiales, ¿qué otras se pueden poseer?

- La palabra *costoso* no se refiere solamente a algo que cuesta dinero; entonces, ¿qué otras cosas nos pueden resultar costosas?

4. Completa las frases con las palabras del vocabulario. Haz las transformaciones necesarias.

concienciarse consciente médula vanguardista proporcionar	tapete lucir infinito escoger evaluar	costoso recapacitar consumista generar superfluo	bienes fuente tirano raíz súbdito

1 ▶ Los ...*súbditos*... de algunos países sienten verdadera admiración por sus soberanos.

2 ▶ Vivimos en una sociedad tremendamente ...*consumista*..., no pasa día sin que nos compremos algo.

3 ▶ La mayoría de las cosas materiales que deseamos con tanta pasión son ...*superfluas*.

4 ▶ Muchos profesionales de hoy en día tienen mentalidad de nuevos ricos; les encanta ...*lucir*... sus lujosos automóviles.

5 ▶ El trabajo quedará excelente siempre y cuando me ...*proporciones*... una buena bibliografía.

6 ▶ Actualmente, muchos de nosotros no somos ...*conscientes*. de todos los cambios que se están produciendo a nivel mundial.

7 ▶ Es un pintor muy ...*vanguardista*..., de ahí que no se comprenda muy bien su obra.

8 ▶ Tiene que dejar esas amistades, son la ...*fuente*... de todos sus males.

9 ▶ Hay que ...*evaluar*... los daños que ha producido el terremoto para programar las indemnizaciones correspondientes.

10 ▶ Antes de actuar hay que ...*recapacitar*..., no conviene tomar decisiones a tontas y a locas.

11 ▶ Según la concejalía de urbanismo, no merece la pena arreglar el inmueble ya que resulta muy ...*costoso*.... . Sería más conveniente derruirlo y construir otro nuevo.

12 ▶ A la muerte de El Greco se hizo un inventario de sus ...*bienes*... y se comprobó que no eran tan rico como se creía.

13 ▶ Según los últimos informes psicológicos, aquellas personas que han estado bajo la influencia de ...*tiranos*... han tenido serios problemas a la hora de desarrollar su propia personalidad.

14 ▶ La ...*raíz*... de todos sus problemas está en su comportamiento psicológico.

15 ▶ Últimamente las investigaciones en torno al cáncer de ...*médula*... espinal están avanzando por buen camino.

16 ▶ Es importante tener la opción de ...*escoger*... aquella profesión o estudios que realmente nos gusten.

17 ▶ Con la polución que hay es necesario ...*concienciarse*... de que no debemos utilizar el coche para todo.

18 ▶ El hecho de comprar ...*genera*... endorfinas en nuestro organismo.

19 ▶ Se creía que el universo era ...*infinito*..., pero las últimas teorías dicen que no lo es.

20 ▶ Colocaron las cartas sobre el ...*tapete*... de la mesa porque querían empezar una partida de póquer...

5. Las siguientes definiciones hacen referencia a términos del ejercicio 1 y 2 de esta sección: ¿de qué términos se trata? Escribe luego un ejemplo con cada uno.

■ No necesario, que está de más: ....
....

■ Estimar, calcular, apreciar el valor de algo: ....
....

■ Prudente, cuerdo, de buen juicio: ....
....

Comprensión *Auditiva*

▶ La Mancha, una región de España

1. Escucha el texto sobre la región española de La Mancha y di si son verdaderas (V) o falsas (F) las siguientes afirmaciones.

	V	F
1 ▶ La diferencia de temperatura en La Mancha entre invierno y verano es especialmente rigurosa.	☐	☐
2 ▶ Algunos geógrafos que conocen bien La Mancha creen que ésta carece de agua y por eso también de sombra.	☐	☐
3 ▶ En algunas zonas de La Mancha se puede ver cómo el agua subterránea sale a la superficie y cambia el paisaje.	☐	☐
4 ▶ Las lagunas esteparias se forman porque cerca hay terrenos impermeables.	☐	☐
5 ▶ Otro tipo de lagunas son las que forma el agua de las cuevas que sale a la superficie cuando sus techos se hunden.	☐	☐

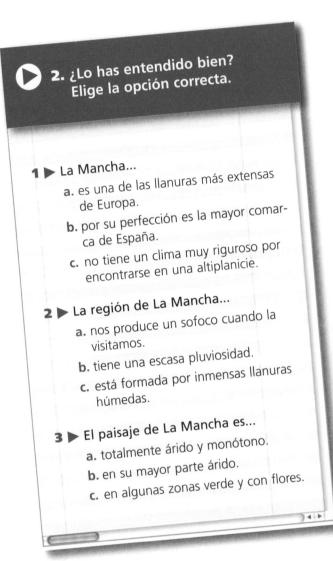

2. ¿Lo has entendido bien? Elige la opción correcta.

1 ▶ La Mancha...
 a. es una de las llanuras más extensas de Europa.
 b. por su perfección es la mayor comarca de España.
 c. no tiene un clima muy riguroso por encontrarse en una altiplanicie.

2 ▶ La región de La Mancha...
 a. nos produce un sofoco cuando la visitamos.
 b. tiene una escasa pluviosidad.
 c. está formada por inmensas llanuras húmedas.

3 ▶ El paisaje de La Mancha es...
 a. totalmente árido y monótono.
 b. en su mayor parte árido.
 c. en algunas zonas verde y con flores.

Competencia
Gramatical

1. Observa estas dos fotografías. ¿Puedes continuar el párrafo? Con los nexos comparativos y modales que te damos describe cada una de las fotos.

Las personas que aparecen en las fotos son bastante mayores. Ninguno tiene menos de 70 años. Sin embargo...

> **Comparativos**
> *igual de, tal/tales... como/cual, tan... como,...*
> *tanto como, ...tanto cuanto, etc.*
> *diverso, distinto, diferente*
> *cuanto más / menos... (tanto) más / menos*

> **Modales**
> *(tal y) como, como que, según (y como),*
> *como si, igual que si, lo mismo que si, sin que,*
> *como para, etc.*

2. *¿Ser o estar?* Completa el texto con los tiempos y modos adecuados.

Hay muchos que aseguran que las relaciones entre el general Perón y Eva no tenían ningún ingrediente sexual, sino que <u>(1) eran</u> un acuerdo de intereses. [...] Es posible que no le atrajera demasiado Evita, que <u>(2) fue</u> convirtiéndose progresivamente en un personaje cada vez más duro, más místico y asexuado. Pero sin duda el general la quería y la necesitaba, sobre todo al principio. [...] Perón, mucho más culto, más cínico, más flexible y más débil que ella, debió de quedarse fascinado con el ciego amor de Evita, con su total entrega. Ella <u>(3) era</u> pura lealtad, una fuerza bruta enamorada.

Y <u>(4) es</u> que la historia de Evita y Perón <u>(5) era/fue</u> la historia de una obsesión. [...] Y así los discursos de Eva <u>(6) estaban</u> llenos de estrafalarios elogios a Perón. [...] Y no <u>(7) eran</u> sólo los discursos públicos: en sus cartas privadas, reiterativas, carentes de forma y pespunteadas de faltas gramaticales.

Tanto amor, tanto fanatismo (ella proclamó múltiples veces que <u>(8) era</u> fanática de Perón) debió de terminar siendo un poco opresivo para él.

Hay varias etapas en la representación de Evita de su propio mito. Primero, *starlette* jovencita, vestía muchos brillos, grandes joyas, aparatosos peinados. Eso <u>(9) fue</u> hasta alcanzar la presidencia.[...] Luego, tras el viaje a Europa de 1947, Evita se hizo más elegante, compró joyas, vistió carísimas ropas de Dior. Sin embargo <u>(10) fue/es</u> a partir de la creación de su Fundación de Beneficencia en 1948, cuando logró su encarnación final de Santa Evita: ahora vestía trajes rigurosos y serios, y peinaba austeros e impecables moños.

> Montero, R.: *Amores y desamores que han cambiado la historia* (adaptado),
> Santillana, Madrid.

Competencia *Gramatical*

3. Completa los mini diálogos con la expresión más adecuada.

1 ▶ ● ¿Conoces al nuevo cantante de *Los jinetes invencibles*?
○ *Ya lo creo*. No me pierdo ni uno de sus conciertos, es magnífico.

2 ▶ ● *No cuentes conmigo* .... para ir a ese partido de fútbol, tengo mucho que estudiar y apenas me queda tiempo.
○ ¡Hombre! *Ya será menos*. El examen es dentro de quince días. Tienes tiempo de sobra.

3 ▶ ● ¡Antonio!, mañana por la mañana temprano tengo que ir a una reunión de trabajo y no puedo ocuparme de hacer la matrícula de los niños, así que el asunto este *lo dejo en tus manos*
○ ¡Huy!, pues *no va a poder ser*, tengo una cita con un cliente tempranísimo.

4 ▶ ● He leído en el periódico que los asistentes a las cumbre internacional han firmado unos acuerdos sobre Medio Ambiente.
En efecto, así es. Parece que se están concienciando del terrible problema que nos acecha.

5 ▶ ● ¿No te parece que esta chica es la hermana de María?
○ ¿Tú crees? ¡Anda! Pues va a ser verdad, ahora que la veo bien... sí, sí *no me cabe la menor duda* se parecen muchísimo.

6 ▶ ● O estudias, o suspendes. *no tiene vuelta de hoja.*

7 ▶ ● Hasta hace relativamente poco, si una joven quería ir a la Universidad le decían: *tonterías*, lo que tienes que hacer es buscarte un *buen partido*.

Cuadro de expresiones:
- no va a poder ser
- en efecto
- tonterías
- ya lo creo
- no cuentes conmigo
- lo dejo en tus manos
- ya será menos
- no tiene vuelta de hoja
- no me cabe la menor duda

---

4. ¿Qué preposición falta?

1 ▶ Este artículo trata *de / sobre* .... el problema de la deuda externa de los países en vías de desarrollo.

2 ▶ Si no hubiera sido porque uno de los abogados de la ONG intercedió *por* .... él, ahora estaría entre rejas.

3 ▶ Me han dicho que me tengo que poner gafas porque, en palabras textuales del oftalmólogo, soy un poco corto *de* .... vista.

4 ▶ Por mucho que buscaron, no dieron *con* .... el botín.

5 ▶ Nadie se ríe de sus gracias pero, a pesar de todo, él se las da *de* .... gracioso.

6 ▶ Cuando fallecen ambos cónyuges y no hay más familia, los hijos quedan *bajo* .... la tutela de las instituciones pertinentes.

7 ▶ Deja la puerta abierta de par *en* .... par para que entre un poco de aire.

8 ▶ Después de la representación tuvimos el placer de ver a Carmen Maura *en* .... persona. Es una mujer encantadora.

9 ▶ El artista encabezaba el desfile y *tras* .... él un gran número de seguidores de su obra.

10 ▶ A la fiesta de los sanfermines viene gente *hasta* ...... de Noruega.

11 ▶ Está entusiasmada *con* ...... el nuevo destino que le ha propuesto la compañía para la que trabaja.

12 ▶ ...Según..... dicen las malas lenguas, están al borde de la separación.

13 ▶ ....A..... decir verdad, para mí las mejores playas de Europa están en Grecia.

14 ▶ Es un tipo muy duro, nunca tira la toalla, es más: ..ante...... las dificultades se crece.

15 ▶ Aún no nos hemos puesto manos a la obra, es un asunto que todavía está ...por..... resolver.

16 ▶ Se pasaban el día protestando ...por........... las condiciones en las que tenían que desempeñar sus papeles.

17 ▶ Después de la crisis, se hizo cargo de la empresa el hijo menor, que era un lince, y en pocos meses consiguió que saliera .....a...... flote.

5. *¿Indicativo* o *subjuntivo*? **Completa el siguiente texto con los tiempos y modos adecuados.**

Vivo tan lejos de la ciudad donde vive mi madre que no puedo responder inmediatamente a esta llamada de urgencia. La ciudad donde vive mi madre, he dicho, y es una frase que me suena irreal: apenas vive, mi madre se va a morir. Mi madre *(morirse)* [1]..................... en la ciudad lejana, casi inaccesible, hacia la que ahora me dirijo lentamente, en el primer tren que *(poder)* [2]..................... coger, un tren lento, en el que no *(poder)* [3]..................... hacer otra cosa que pensar si *(llegar)* [4]..................... a tiempo, si aún la *(ver)* [5]..................... viva.

(Saber) [6]..................... que esto *(pasar)* [7]....................., que un día me *(llamar)* [8]..................... mi prima Ángela y me *(decir)* [9]..................... que mi madre *(morirse)* [10]....................., y yo *(correr)* [11]..................... a la estación en busca de un tren que me *(llevar)* [12]..................... hasta ella. El único avión que *(llegar)* [13]..................... a la ciudad de mi madre *(salir)* [14]..................... hace unas horas.

También *(saber)* [15]..................... eso, que Ángela me *(llamar)* [16]..................... cuando ya no *(poder)* [17]..................... coger ese avión. *(Poder)* [18]..................... coger un taxi, me digo ahora, pero la resistencia a ponerme en manos de un conductor desconocido *(impedir, a mí)* [19]..................... pensar en esa posibilidad. Ahora ya no *(haber)* [20]..................... remedio.

(Pensar) [21]..................... muchas veces en esta llamada de Ángela que al fin *(recibir)* [22]....................., *(imaginar)* [23]..................... cómo *(sentirse)* [24]..................... yo en este largo viaje en tren, *(acudir)* [25]..................... a despedirme de mi madre desde esta distancia en la que hace años vivo sin que *(ocurrírse, a ella)* [26]..................... nunca hacerme ningún reproche. *(Aceptar)* [27]..................... mi vida y la de mis hermanas, *(aceptar)* [28]..................... que *(vivir)* [29]....................., todas, fuera de la ciudad donde *(morirse)* [30]..................... y donde todas nacimos, y todo lo que nos *(ir)* [31]..................... diciendo desde allí, desde la casa de nuestra prima Ángela, *(edificarse)* [32]..................... sobre el silencio, la acusación que nunca *(formular)* [33].....................: la *(abandonar, nosotras)* [34]..................... .

Yo, que *(acercarse)* [35]..................... ahora tan lentamente a ella, que no *(saber)* [36]..................... si aún la *(ver)* [37]..................... viva, *(ser)* [38]..................... su hija predilecta, la menor, la que *(venir)* [39]..................... cuando nadie me *(esperar)* [40]....................., seis años después de que *(nacer)* [41]..................... Magdalena, la pequeña hasta entonces, la última de las cuatro hijas. Todos *(saber)* [42]..................... enseguida que yo *(ser)* [43]..................... la hija más querida de mi madre. Me *(mirar)* [44]..................... como si yo *(ser)* [45]..................... un milagro de su vida.

Puértolas, S.: *La hija predilecta* (cuento adaptado),
Anagrama, Barcelona.

Competencia *Gramatical*

▶ **SE reflexivo de 3.ª persona:** cuando el sujeto hace y recibe la acción del verbo. Puede funcionar como CD o como CI.
  Juan se lava (CD)   *Juan se lava la cara* (CI, CD)

▶ **SE recíproco de 3.ª persona del plural:** los sujetos se influyen o intercambian acciones.
  María y Pedro se escriben largas cartas.

▶ **SE equivalente a *le, les*:** funciona como pronombre de CI cuando *le/les* va seguido de un pronombre *lo/la/los/las.*
  Se lo devolví ayer.

▶ **SE impersonal:** *se* + verbo + 3.ª persona singular.
  Se habla mucho del tema.

▶ **SE signo de pasiva refleja:** *se* + verbo + sujeto paciente. El sujeto paciente es cosa y no persona.
  No se aceptan propinas.

▶ **SE enfático:** el pronombre sirve para intensificar el significado del verbo. Generalmente con verbos de comida, bebida, dinero, actividades mentales o físicas.
  Se comió una tortilla de patata él solo.

▶ **SE con sentido incoativo:** en ciertos verbos el empleo de esta forma da a la acción un valor incoativo. Es decir, indica acción que comienza.
  Algunos verbos con este sentido: *ir/irse, salir/salirse, llevar/llevarse, traer/traerse, venir/venirse, dormir/dormirse*, etc.
  Se vino con nosotros a todas partes.

▶ **SE con valor de morfema:** "se" sirve para diferenciar significados: *quedar/quedarse, marchar/marcharse*, etc.

▶ **SE con dativo ético o de interés:** es invariable y va acompañado por un CI para expresar el interés.
  Se me ha muerto el perro.

▶ **SE con verbos pronominales:** algunos verbos necesitan la presencia de un pronombre. Estos pronombres no son reflexivos.
  Verbos de movimiento: *levantarse, moverse, sentarse, acostarse*, etc.
  Verbos que expresan acción mental: *alegrarse, confundirse, enfadarse, emocionarse*, etc.
  Se sentó en esa silla tan antigua.
  Se alegraba mucho por ellos.

6. Indica qué valor tiene *se* en las siguientes frases.

1 ▶ Últimamente se me cae mucho el pelo. *reflexiv*

2 ▶ En ese establecimiento no se hacen fotocopias. *pasiva refleja*

3 ▶ Agarra al niño, que se va a caer. *pasiva refleja.*

4 ▶ Marta se ha enfadado porque a Isabel se le ha olvidado que hoy es su cumpleaños. *v pronombre.*

5 ▶ ¿Y ahora qué hago? Se me han perdido las llaves.

6 ▶ Pues yo creo que se nos ha pinchado una rueda.

7 ▶ En el País Vasco se come francamente bien.

8 ▶ Son hermanos, aunque se llevan muchos años.

9 ▶ Se tomó toda la tarta él solo y se empachó.

10 ▶ Se lleva mucho eso de ir escuchando música por la calle.

11 ▶ No se encuentra muy bien. Dice que se siente solo.

12 ▶ Cómo se nota que has estado en Galicia. Enseguida se te pega el acento.

13 ▶ Se cree que el efecto invernadero va a provocar un calentamiento de la Tierra.

14 ▶ Marta se cree muy lista. Piensa que lo sabe todo.

15 ▶ Ha salido a comprarse algo de ropa, pues tiene una boda en un mes.

16 ▶ Desde que estudia fuera se hace la comida y se lava la ropa él solo.

17 ▶ Descansó un rato después de la comida y luego se volvió a la oficina.

18 ▶ En algunos países se considera una norma de cortesía retrasarse un tiempo prudencial cuando se es invitado a una casa.

19 ▶ Se lo dijo a la cara y se quedó tan campante.

20 ▶ Se me ha dormido la pierna porque he estado mucho tiempo sentado sin cambiar de postura.

7. ¿Qué diferencias de sentido puede haber entre estos pares de frases?

1 ▶ Acordó mantenernos informados. / Se acordó de mantenernos informados.

2 ▶ Comió un bocadillo de chorizo. / Se comió un bocadillo de chorizo.

3 ▶ Compró una máquina de fotos digital. / Se compró una máquina de fotos digital.

4 ▶ Construyó una casa de veraneo en el pueblo. / Se construyó una casa de veraneo en el pueblo.

5 ▶ Cree que la situación mejorará. / Se cree que la situación mejorará.

6 ▶ El niño durmió en nuestra cama. / El niño se durmió en nuestra cama.

7 ▶ Fue a su casa. / Se fue a su casa.

8 ▶ Últimamente habla mucho del tema de la sequía. / Últimamente se habla mucho del tema de la sequía.

9 ▶ Mis hijos escriben muchas cartas. / Mis hijos se escriben muchas cartas.

10 ▶ Murió a causa de una enfermedad incurable. / Se murió a causa de una enfermedad incurable.

Expresión e interacción *Escrita*

LÍNEA DE ATENCIÓN

Si queremos que la carta se entregue a una persona determinada tendremos que incluir la línea de atención.

> A la atención de doña Mercedes Martín

> A la atención de la Jefa de Estudios

SALUDO

▶ **Si la carta va dirigida a una persona:**

▶ Saludo respetuoso	*Distinguido/a señor/a:*
▶ Saludo formal	*Señor/a:*
▶ Saludo amigable	*Estimado/a señor/a:*

▶ **Si la carta va dirigida a una compañía, empresa, etc.:**

▶ *Distinguidos señores:*

▶ *Señores:*

▶ *Estimados señores:*

¡ACCIÓN!

Necesito una subvención

Solicita una subvención.

Recursos

▶ Tienes un gran espíritu emprendedor y decides "construir una casa rural" cerca de tu pueblo, ya que tanto la ubicación como la zona son de gran interés turístico y ecológico. Uno de tus problemas es que no cuentas con el dinero suficiente, por lo cual tienes que dirigirte a la junta de tu comunidad autónoma para pedirles una ayuda/subvención. En el tono y estilo adecuados, escribe al concejal de urbanismo de la zona para:

▶ Explicarle detalladamente en qué consiste el proyecto.

▶ Hablarle de la mejoría que esto traerá a la zona.

▶ Convencerle de que te den la ayuda.

▶ Despedirte esperando una respuesta.

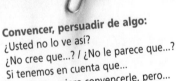

Convencer, persuadir de algo:
¿Usted no lo ve así?
¿No cree que...? / ¿No le parece que...?
Si tenemos en cuenta que...
No es que quiera convencerle, pero...
...puedo dar miles de razones para...
Estoy totalmente seguro de que verá...

Despedirse esperando una respuesta:
En espera de su contestación...
Confiando en una pronta respuesta...
A la espera de sus noticias...

Expresiones útiles:
Tener el gusto de, complacerse en...
Comprobar, advertir, observar...
Reunir, cumplir los requisitos...
Suplir, satisfacer las necesidades...

¡ACCIÓN!

Comprar a cualquier precio

Expresa tu opinión.

"Gastamos más de lo que ganamos. Comprar es lo importante. Pagar puede esperar. Según los psicólogos, al comprar sin medida es nuestro cerebro el que busca placer, como cuando se busca comida o sexo. Comprar, en definitiva, genera endorfinas."

"Los nuevos estudios de psicología relacionan estrechamente la adicción a las compras con otros trastornos como la piromanía, la cleptomanía o la dependencia del trabajo."

Alandete, D.: *El País Semanal* (EPS).

Recursos

▶ Después de leer el artículo, escribe un texto (150-200 palabras) en el que deberás expresar tu opinión sobre el tema. Ten en cuenta las siguientes premisas.

▶ El placer de consumir y los beneficios que nos reporta.

▶ El consumo como encubridor de frustraciones, como medio de ostentación, etc.

▶ La importancia de la propaganda en nuestros hábitos de consumo.

▶ El consumo compulsivo visto como algo patológico.

▶ Las ventajas y los inconveniente de las tarjetas de crédito.

Expresiones útiles:
Así es, es verdad.
No cabe duda, es indudable, es obvio.
Evidentemente, naturalmente.
No puede ser, no se puede aceptar, de ninguna manera.

Expresión e interacción *Oral*

La lengua nuestra *de cada día*

Cada oveja con su pareja

1. Relaciona las expresiones con su definición.

1 ▶ Ser un pez gordo.

2 ▶ Saber algo al dedillo.

3 ▶ Cría cuervos y te sacarán los ojos.

4 ▶ Nacer con estrella.

5 ▶ Ser uña y carne.

a ▶ Tener mucha suerte en la vida.

b ▶ Ser muy buenos amigos o íntimos.

c ▶ Ser una persona muy influyente.

d ▶ De memoria.

e ▶ Los beneficios hechos a quien no se los merece son correspondidos con desagradecimiento.

¿A que no sabes?

2. Completa los siguientes mini-diálogos con las expresiones del ejercicio anterior.

a. ¿Te has enterado de que Álvaro ha conseguido ese puesto que tanto deseaba?

b. ¡No me extraña! Teresa es una de esas personas a las que todo, todo le sale bien, vamos, que es muy afortunada, se puede decir de ella que
....

a. Chica, no sé cómo lo hace, pero Teresa es una persona que siempre tiene la sonrisa en los labios, siempre está de buen humor, es optimista...

a. Me ha dicho Belén que ha aprobado la oposición, ¡que alegría!

b. Sí, es verdad. Por lo visto se sabía el temario muy, muy bien, vamos que
....

b. Sí, algo he oído, y es que no me extraña. En esa compañía trabaja Raúl, uno de sus mejores amigos, quien, por lo visto tiene mucha influencia, se dice de él que es
....

En otros lugares

3. Piensa en un situación de real en la que puedas o hubieras podido utilizar las siguientes expresiones. ¿Son iguales en tu lengua?

■ Cría cuervos y te sacarán los ojos. ■ Nacer con estrella. ■ Saber algo al dedillo.

Expresión e interacción *Oral*

Hablando se entiende la gente

¿Derecho a morir?

Lee la siguiente información.

> *"La eutanasia voluntaria es sencillamente un derecho humano [...], un derecho de libertad [...] que se inscribe en el contexto de una sociedad secularizada y pluralista en la que se respetan las distintas opciones personales."*
>
> *"La vida no es un valor absoluto; la vida debe ligarse con calidad de vida, y, cuando esta calidad se degrada más allá de ciertos límites, uno tiene derecho a "dimitir".*
>
> Pániker, S.: "La eutanasia activa",
> *El País.*

> *"Cuando un enfermo pide que se acabe con su vida, hay que procurar descubrir y resolver los motivos de esa petición: quitarle el dolor, controlar los demás síntomas molestos, aliviar su sufrimiento psicológico, rodearle de cariño... Hay que desarrollar los cuidados paliativos. Afortunadamente hoy la medicina tiene más recursos que nunca para conseguirlo."*
>
> *"Los enfermos terminales se consideran una carga. Una sociedad que despenaliza la eutanasia, les envía un mensaje: "Efectivamente, sois una carga y ahora podéis fácilmente dejar de serlo..."*
>
> González Barón, M.: "Una respuesta equivocada",
> *El País.*

Eutanasia

- ■ SÍ
- ■ NO
- ■ DEPENDE

Elige uno de los siguientes papeles:

- ■ Activista social a favor de la eutanasia activa y pasiva.
- ■ Representante de una asociación pro-vida.
- ■ Un profesional de la medicina que da su opinión sobre la eutanasia (aspectos positivos y negativos).
- ■ Un religioso que opina sobre el derecho a la vida.
- ■ Un moderador.

Prepara tu intervención.

▶ Reflexiona sobre el fragmento de González Barón y busca más información sobre: la eutanasia activa y pasiva; los enfermos terminales; cuidados paliativos, etc. ¿Qué dice la ley? ¿Qué dicen las diferentes asociaciones?

www.eutanasia.ws / www.muertedigna.org / www.bioetica.org / www.condignidad.org

¡ACCIÓN!

Debate

▶ El debate se centrará en los siguientes aspectos:

- ▶ El ser humano y su derecho a la vida.
- ▶ Una muerte digna.
- ▶ La prolongación artificial de la vida en enfermos terminales o vegetativos.
- ▶ La eutanasia camuflada.

Recursos

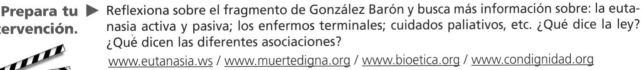

Ceder la palabra: tiene usted la palabra, adelante, es su turno, le toca a usted, ya puede intervenir, etc.

Interrumpir: ¿podría decir algo?, perdone la interrupción, perdone que le corte, etc.

EXPRESIÓN DE LA COMPARACIÓN

▶ **Con indicativo:** la comparación se refiere al pasado o al presente. *Trabajo tanto como puedo.*

▶ **Con subjuntivo:** la comparación se refiere a un momento futuro. *Trabajaré tanto como pueda.*

▶ **IGUALDAD**

  ▶ *igual de* + adjetivo / adverbio *que: Pedrito está ya igual de alto que su padre.*

  ▶ *tal / tales* + sustantivo *como / cual: Dijo tal cantidad de mentiras que era imposible creer una sola.*

  ▶ *tanto, -a, -os, -as* + sustantivo *como / cuanto: Tengo tanto trabajo como tú y no me quejo.*

  ▶ *tan* + adjetivo / adverbio *como: A ver si traes tan buenas notas como tu hermano.*

  ▶ Verbo + *tanto como: Te ayudaré tanto como me sea posible.*

  ▶ Verbo + *tanto cuanto: Tiene tanto cuanto necesita para vivir bien.*

▶ **DESIGUALDAD**

  ▶ *diverso / distinto / diferente a / de* (dos verbos): *Mi hermana es muy diferente a mí.*

▶ **SUPERIORIDAD**

  ▶ *más... que / de* (dos verbos): *Ahora mi mujer gana más que yo. Ahora gana más de lo que le ofrecían en su anterior trabajo.*

    ▶ Cuando se establecen comparaciones numéricas utilizamos *de*:
      Esa cadena tiene más de cincuenta establecimientos por todo el país.

    ▶ En frases negativas cambia el sentido:
      No tiene más de veinte años = Parece muy joven. Como mucho tendrá veinte años.
      No tiene más que veinte años = Es muy joven todavía. Solamente tiene veinte años.

    ▶ Recuerda los irregulares *mejor, peor, mayor* y *menor*.

▶ **INFERIORIDAD**

  ▶ *menos.. que / de* (dos verbos): *Prefiero ganar menos que tú y tener más tiempo libre. La situación es menos grave de lo que me esperaba.*

▶ **GRADACIÓN**

  ▶ *cuanto más / menos... (tanto) más / menos: Cuanto más duermo, más sueño tengo.*

EXPRESIÓN DEL MODO

▶ **Con indicativo:** expresan un modo concreto, conocido por el hablante.

  ▶ ***(tal y) como:*** *Es mejor que lo hagas como te lo ha aconsejado tu madre.*

  ▶ ***como que:*** *Hizo un gesto como que se ahogaba.*

  ▶ ***según (y como):*** *Realicé la instalación según indicaban las instrucciones del folleto.*

▶ **Con subjuntivo:** si expresan un modo indeterminado, desconocido por el hablante.

  ▶ ***como:*** *Hazlo como quieras, pero hazlo ya.*

  ▶ ***como si:*** *Hace como (haría) si no nos conociera.*

  ▶ ***igual que si:*** *Llora igual que (lloraría) si fuera un niño pequeño.*

  ▶ ***lo mismo que si:*** *Reaccionó lo mismo que (reaccionaría) si le fuera la vida en ello.*

  En estas frases el modo se expresa estableciendo una comparación condicional y el verbo va en p. imperfecto o p. pluscuamperfecto de subjuntivo.

  ▶ ***según (y como):*** *Deberás realizar la instalación según indiquen las instrucciones. Léete el folleto antes.*

  ▶ ***sin que:*** *Salió sin que nadie se diera cuenta.*

▶ **Con formas no personales:** si tenemos un solo sujeto.

  ▶ ***como para*** + infinitivo: *Cerró los ojos como para concentrarse mejor.*

  ▶ ***sin*** + infinitivo: *Se marchó sin saludarnos siquiera.*

  ▶ gerundio: *Insistiéndole mucho, conseguimos al final que aceptara la invitación.*

  ▶ participio: *Editado su libro, lo exhibió con orgullo a sus colegas.*

Para consolidar y ampliar tus conocimientos te recomendamos...

Óscar Cerrolaza Gili

Diccionario
práctico de
gramática

800 fichas de uso correcto del español

edelsa
GRUPO DIDASCALIA, S.A.

Unidad 7

Comprensión *Lectora*

▶ **José Ortega y Gasset:** *La misión de la universidad.*

▶ **Más de cerca:** actividades y estrategias de control de la comprensión.

▶ **Enriquece tu léxico:** actividades y estrategias para ampliar el vocabulario.

Comprensión *Auditiva*

▶ **Texto informativo:** *La historia de la cerveza.*

▶ Actividades y estrategias de control de la comprensión.

Competencia *Gramatical*

Contenidos propios de la unidad

▶ Estilo Indirecto.

Contenidos generales

▶ Contraste *ser / estar.*

▶ Completa con las palabras y expresiones de la lista.

▶ Preposiciones.

▶ Tiempos y modos verbales.

Algo más

▶ El género de los nombres.

Expresión e interacción *Escrita*

▶ **Escribir una carta** para pedir información, explicar los motivos, mostrar interés, agradecer la atención.

▶ **Exponer tu punto de vista.** La guerra es un esfuerzo enorme.

Expresión e interacción *Oral*

▶ **La lengua nuestra de cada día:** expresiones, refranes y frases hechas.

▶ **Hablando se entiende la gente:** Globalización y terrorismo.

▶ **Exposición oral.**

▶ Estilo indirecto.

Unidad 7

José Ortega y Gasset

(1883-1955)

DATOS BIOGRÁFICOS

Personalidad relevante del pensamiento español del siglo xx, nació en Madrid en el seno de una familia de políticos y periodistas. Tras doctorarse, amplió estudios de Filosofía en Alemania, donde adquirió interés por el método científico y la filosofía de la educación. A su regreso, con 28 años, ganó la cátedra de Metafísica de la Universidad de Madrid.
En 1914 funda la "Liga de Educación Política", desde la que defiende sus postulados liberales y modernizadores de España. En 1923 funda la *Revista de Occidente*, principal medio de difusión, en España, de las ideas filosóficas europeas. Como partidario de la República, su enfrentamiento en 1929 con la dictadura de Primo de Rivera le lleva a dimitir de su cátedra universitaria. En 1936, con la Guerra Civil, abandona el país, y durante veinte años imparte cursos y conferencias en Europa y América. La clave esencial de su pensamiento se resume en su conocida frase "Yo soy yo y mi circunstancia", es decir, que el hombre no puede salvarse si a la vez no salva su contorno, lo cual supone una superación de la tradicional oposición filosófica entre idealismo y realismo.

SU OBRA

Entre sus obras más conocidas se encuentran: *España invertebrada, El tema de nuestro tiempo, La deshumanización del arte, La rebelión de las masas, ¿Qué es filosofía?, Meditaciones sobre la técnica, Estudios sobre el amor* y la colección de ensayos titulada *El Espectador*.

Fundación José Ortega y Gasset, Madrid.

La misión de la Universidad

La enseñanza superior consiste hoy en profesionalismo e investigación. La sociedad necesita muchos profesionales, pero sólo un número muy reducido de científicos. De lo contrario sería catastrófico, porque la vocación para la ciencia es especialísima e infrecuente. Sorprende, pues, que aparezcan fundidas la enseñanza profesional, que es para todos, y la investigación, que es para poquísimos. En sus comienzos medievales, la Universidad no investigaba, todo era "cultura general" –teología, filosofía, artes–, es decir, el repertorio de convicciones que había de dirigir efectivamente su existencia.

Cultura es lo que salva del naufragio vital, lo que permite al hombre vivir sin que su vida sea tragedia sin sentido o radical envilecimiento.

No podemos vivir humanamente sin ideas. De ellas depende lo que hagamos, y vivir no es sino hacer esto o lo otro. El hombre nace siempre en una época, pertenece consustancialmente a una generación y toda generación se instala sobre la anterior. Esto significa que es forzoso vivir a la altura de los tiempos y, en especial, a la altura de las ideas del tiempo. Cultura es el sistema vital de las ideas de cada tiempo. Cultura no es ciencia. Es característico de nuestra cultura actual que gran porción de su contenido proceda de la ciencia; pero en otras culturas no fue así.

Comparada con la medieval, la Universidad contemporánea ha complicado enormemente la enseñanza profesional que aquélla en germen proporcionaba, y ha añadido la investigación, quitando casi por completo la enseñanza o transmisión de la cultura. Eso ha sido evidentemente una atrocidad cuyas funestas consecuencias ahora paga Europa. [...] El europeo medio es inculto, no posee el sistema vital de ideas sobre el mundo y el hombre correspondientes al tiempo. Ese personaje medio es el nuevo bárbaro, retrasado con respecto a su época, arcaico y primitivo en comparación con la terrible actualidad y fecha de sus problemas. Este nuevo bárbaro es principalmente el profesional, más sabio que nunca, pero más inculto también. De esa barbarie inesperada, de ese esencial y trágico anacronismo tienen la culpa, sobre todo, las pretenciosas universidades del siglo XIX.

La sociedad necesita buenos profesionales, pero necesita antes que eso asegurar la capacidad en otro género de profesión: la de mandar. Y por mandar no entiendo tanto el ejercicio jurídico de una autoridad como la presión o influjo sobre el cuerpo social. Hoy mandan en las sociedades europeas las clases burguesas, la mayoría de cuyos individuos es profesional. Importa mucho a aquéllas que estos profesionales sean capaces de vivir e influir vitalmente según la altura de los tiempos. Por eso es ineludible crear de nuevo en la Universidad la enseñanza de la cultura o sistema de las ideas vivas que el tiempo posee. Ésa es la tarea universitaria radical. Eso tiene que ser antes y más que ninguna otra cosa la Universidad.

Ha sido menester esperar hasta los comienzos del siglo XX para que se presenciase un espectáculo increíble: el de la peculiarísima brutalidad y la agresiva estupidez con que se comporta el hombre cuando sabe mucho de una cosa e ignora de raíz todas las demás. El profesionalismo y el especialismo, al no ser debidamente compensados, han roto en pedazos al hombre europeo, que por lo mismo está ausente de todos los puntos donde pretende y necesita estar. En efecto; el desmoronamiento de nuestra Europa, visible hoy, es el resultado de la invisible fragmentación que progresivamente ha padecido el hombre europeo.

La gran tarea inmediata tiene algo de rompecabezas. [...]. Hay que reconstruir con los pedazos dispersos [...] la unidad vital del hombre europeo. Es preciso lograr que cada individuo o –evitando utopismos– muchos individuos lleguen a ser, cada uno por sí, entero ese hombre. ¿Quién puede hacer esto sino la Universidad? No hay, pues, más remedio que agregar a las faenas que hoy ya pretende la Universidad cumplir esta otra inexcusable e ingente.

Por eso, fuera de España se anuncia con gran vigor un movimiento para el cual la enseñanza superior es primordialmente enseñanza de la cultura o transmisión a la nueva generación del sistema de ideas sobre el mundo y el hombre que llegó a madurez en la anterior.

Con esto tenemos que la enseñanza universitaria nos aparece integrada por estas tres funciones:

I. Transmisión de la cultura.

II. Enseñanza de las profesiones.

III. Investigación científica y educación de nuevos hombres de ciencia.

¿Hemos contestado con esto a nuestra pregunta sobre cuál sea la misión de la Universidad?

Ortega y Gasset, J.: *La misión de la Universidad* (adaptado),
Alianza Editorial, Madrid.

1. Señala si es verdadero (V) o falso (F) según el texto.

V F

1. Es necesario elevar las ideas de cada generación a la altura de su tiempo. ☐ ☐

2. Es sorprendente que no se investigue más acerca de la enseñanza profesional. ☐ ☐

3. Gracias a la cultura, la vida del ser humano no es trágica. ☐ ☐

4. Las obras del ser humano dependen de las ideas que las impulsan. ☐ ☐

5. Una de las funciones de la enseñanza superior es la de formar profesionales. ☐ ☐

2. Elige la opción correcta.

1. **La sociedad tiene una necesidad imperiosa de...**
   a. personal jurídico que sepa mandar.
   b. buenos profesionales sin mando.
   c. profesionales con capacidad de mando.

2. **La especialización excesiva supone...**
   a. un rompecabezas para la unidad de los europeos.
   b. la descomposición del hombre europeo.
   c. una dimensión más del europeo actual.

3. **¿Cuál debe ser la tarea actual de la Universidad según Ortega?**
   a. Fragmentar progresivamente al hombre europeo.
   b. Devolver al europeo su unidad vital.
   c. Reconstruir las utopías partiendo de un número elevado de individuos.

3. Escribe una introducción.

Haz una breve introducción de diez líneas sobre las ideas que refleja el texto que has leído.

1. Relaciona las palabras del texto con sus sinónimos.

1.	reducido b	a.	pedazo	
2.	vocación f	b.	limitado	
3.	repertorio	c.	inexcusable	
4.	porción	d.	inherente	
5.	envilecimiento k	e.	embrión	
6.	consustancial d	f.	inclinación	
7.	germen e	g.	conjunto	
8.	atrocidad	h.	extremo	
9.	funesto	i.	necesario	
10.	arcaico	j.	deshonra	
11.	pretencioso	k.	brutalidad	
12.	influjo	l.	desdichado	
13.	ineludible	m.	antiguo	
14.	radical	n.	presuntuoso	
15.	menester	ñ.	desplome	
16.	desmoronamiento	o.	tareas ✓	
17.	agregar q	p.	influencia	
18.	faenas o	q.	añadir ✓	
19.	ingente ✓	r.	enorme ✓	
20.	fragmentación s	s.	fraccionamiento ✓	

2. Encuentra el antónimo.

1.	infrecuente	a.	facilitar	
2.	complicar	b.	habitual	
3.	salvar	c.	restar	
4.	forzoso	d.	conocer	
5.	añadir	e.	unir	
6.	fragmentar	f.	condenar	
7.	ignorar	g.	voluntario	
8.	dispersar	h.	reunir	
9.	ineludible	i.	civilización	
10.	barbarie	j.	evitable	

¿*y tú?*

3. Responde a las preguntas.

- ¿Cómo definirías una cosa *ingente*? Pon un ejemplo.

- ¿Qué actos *condenarías*?

- ¿Colaboras como *voluntario*? ¿Te gustaría hacerlo? Justifica tu respuesta.

4. Completa las frases con las palabras del vocabulario. Haz las transformaciones necesarias.

reducir
vocación
repertorio
envilecer
consustancial

porción
atrocidad
funesto
arcaico
pretencioso

germen
influjo
ineludible
radical
menester

desmoronarse
fragmentación
rompecabezas
agregar
faena

1 ▶ Las obligaciones familiares son ...., hagas lo que hagas.

2 ▶ El concierto será muy bueno, pues han elegido un .... de obras fantástico.

3 ▶ Mira qué generoso es Álvaro, le ha dado una .... de su pastel a su primo.

4 ▶ Se construyó una casa tremendamente .... para provocar la envidia de sus vecinos.

5 ▶ Es .... acabar cuanto antes con este caos que reina en la biblioteca.

6 ▶ Se bate un huevo y poco a poco se va .... el aceite.

7 ▶ Se pusieron de acuerdo para .... el precio de la gasolina un 1%.

8 ▶ En sus primeros libros está ya el .... de lo que sería después su gran obra.

9 ▶ Con el terremoto, los edificios .... como si fueran castillos de arena.

10 ▶ De pequeño ya tenía una gran .... religiosa y de mayor acabó siendo fraile.

11 ▶ En todas las guerras, sin excepción, se cometen ....

12 ▶ En la arquitectura mudéjar podemos ver claramente el .... del arte musulmán.

13 ▶ Con su actitud solo consigue .... a sí mismo.

14 ▶ En ese pueblo conservan aún costumbres ....

15 ▶ Las .... del hogar son interminables, siempre hay algo por hacer.

16 ▶ La economía de este país necesita un cambio .... cuanto antes.

17 ▶ Su loco comportamiento tuvo .... consecuencias. Al final todos pagamos por ello.

18 ▶ La inteligencia es .... al ser humano.

19 ▶ Todo empezó a complicarse con la .... del partido político en grupúsculos.

20 ▶ El ordenador es para mi madre un verdadero .... Por mucho que lo intenta no consigue comprender cómo funciona.

5. En el vocabulario aparecen algunos términos con el prefijo *in-*. ¿Sabes qué significa? Define con tus propias palabras los siguientes términos:

■ ineludible: ....

■ inherente: ....

■ infrecuente: ....

■ inexcusable: ....

¿Qué otras palabras conoces con el prefijo *in-*? Escríbelas y defínelas.

Comprensión *Auditiva*

▶ La historia de la cerveza

2. ¿Lo has entendido bien?
Elige la opción correcta.

1. Después de escuchar el texto "La historia de la cerveza", di si las siguientes afirmaciones son verdaderas (V) o falsas (F).

		V	F
1 ▶	El hombre primitivo hacía fermentar una bebidas masticando raíces, cereales, etc.	☑	☐
2 ▶	Los egipcios elaboraban una cerveza con especias.	☑	☐
3 ▶	Guillermo IV, duque de Baviera, promulga una ley que prohíbe el uso de malta para la elaboración de la cerveza.	☐	☑
4 ▶	Pasteur elaboró un tipo de cerveza con sus hallazgos.	☐	☑
5 ▶	En España, a partir del s. XVI se empezó a consumir más cerveza que vino.	☐	☑

elaboración/proceso uso exclusivo de malta de fermentar

por Carlos V

1 ▶ Según la grabación...

   a. las leyendas antiguas ya hablaban de la elaboración de la cerveza.

   b. se desconoce cuándo se comenzó a elaborar cerveza.

   c. las leyendas dicen que Osiris ya bebía cerveza.

2 ▶ Hay antropólogos que creen que...

   a. era necesario masticar cereales y otros productos para relajarse.

   b. el hombre primitivo de hace cien mil años ya sabía elaborar todo tipo de bebidas.

   c. se utilizaba la saliva como fermento para producir bebidas alcohólicas.

3 ▶ Los egipcios...

   a. añaden varios ingredientes para dar a la cerveza un aspecto distinto.

   b. elaboraron la cerveza igual que lo hacían los sumerios.

   c. con la malta descubren el aroma y el sabor de la cerveza.

Competencia *Gramatical*

1. Lee el siguiente diálogo y resume la historia contándola en estilo indirecto.

Escena: café del Gallo (plaza Mayor), Ramón Peris toma un café. Cada vez que se abre la puerta, mira hacia allá hasta que entra una moza alta, morena, que se acerca a él, y le dice:

TRINI	¡Hola!
RAMÓN	¡Hola, Trini! ¡Siéntate! Por fin, has venido.
TRINI	¡Chico! No pude antes. (Sentándose) Llegó mi hermano del cuartel.
RAMÓN	¡Tu hermano! ¿Y qué dice ese golfo[1]? Habrá ido a pediros dinero, como si lo viera.
EL Mozo	¿Café?
TRINI	Sí, café. (a Ramón) ¿Y qué? Que nos ha pedido dinero. ¿Y qué? No parece sino que te lo pide a ti.
RAMÓN	Sería igual. Aunque tuviera, no le daría un cuarto[2].
TRINI	¡Roñoso!
RAMÓN	Y vosotros le habréis dado dinero. ¡Qué primaveras[3]!
TRINI	¡Y bien! ¿Te importa algo?
RAMÓN	¿A mí?... Tu dinero es, y tú lo ganas con tu honrado trabajo.
TRINI	Si fuera esa golfa de la Petrilla, te importaría más. Chico, tú enamorado... tiene gracia... Verdad es que ni ella, ni su marido, ni tú tenéis tanto así de vergüenza.
RAMÓN	¡Gracias!
[...]	
RAMÓN	¿Por qué no te has casado, entonces?
TRINI	¿Por qué? ¿A ti qué te importa?
[...]	
RAMON	Oye, Trini, ¿vamos a dar una vuelta? Hace una tarde pistonuda[4].
TRINI	Hale. Vamos. (Se levantan de la mesa)
TRINI	¿A dónde vamos?
RAMÓN	Donde quieras.
TRINI	Tomaremos el tranvía.
R AMÓN	Te advierto que no tengo una perra[5].

Baroja, P.: *Caídos* (adaptado),
Alianza Editorial, Madrid.

2. Aquí tienes el final de la historia anterior. Está en estilo indirecto. ¿Puedes imaginar el diálogo que tuvieron Trini y Ramón?

Trini apremia a Ramón a subir al tranvía. Ramón sube de mala gana. [...] Saca del bolsillo de la chaqueta dos o tres papeles de fumar grasientos [...] y va sacando motas de tabaco de todos los bolsillos, hasta que reúne bastantes para liar un cigarro. [...] Trini le explica que no debería sentirse rebajado por pedirle a ella un real para una cajetilla, pero Ramón [...] miente diciendo que lo hacía para aprovechar. Trini no se lo cree y se lo hace saber, añadiendo que Ramón nunca ha aprovechado nada. Pide al conductor que pare el tranvía y le anuncia a Ramón que le va a comprar cigarrillos "susinis" y que van a ir los dos a los Viveros para merendar. Le manda que tire esa colilla y le explica que tiene tres duros que han de "pulir[6]" esa tarde. Ramón le pide que [...] guarde esos cuartos pero Trini se niega y le recuerda que él, cuando tenía dinero, se lo gastó con ella.

---

1. **Golfo**: persona que vive de manera desordenada, poco formal y entregado a sus vicios; 2. **Cuartos**: dinero (suele usarse en plural); 3. **Ser un primavera**: persona fácil de engañar; 4. **Pistonudo:** fantástico, muy bueno; 5. **Perra**: dinero, moneda (suele usarse en plural); 6. **Pulir:** gastar el dinero sin preocupación.

Competencia *Gramatical*

3. ¿*Ser* o *estar*? Completa las frases según convenga.

1 ▶ ¿Has visto qué enrojecidos tiene los ojos? Yo creo que ....*es*.......... de tanto llorar.

2 ▶ Este pollo al ajillo ......*está*...... para chuparse los dedos.

3 ▶ ......*Es*.......... de esperar que el conflicto se solucione por vía pacífica.

4 ▶ Lo importante ahora ....*es*........ ponerse manos a la obra.

5 ▶ ....*Está*......... de morros porque no lo invitaste a tu fiesta.

6 ▶ ......*Es*.......... un inútil. Siempre .....*está*....... metiendo la pata.

7 ▶ No se le nota el embarazo, pero ......*está*....... ya de cinco meses.

8 ▶ No puedo evitar ......*estar*...... intranquila hasta que mis hijos regresan por la noche.

9 ▶ No quisiera .....*ser*...... indiscreta, pero... ¿por qué ya no ....*están*..... juntos?

10 ▶ ......*Es*......... preferible que ....*estén*.... callados, siempre ....*están*...... diciendo tonterías.

4. Completa el siguiente texto con las palabras que te damos.

Los grandes temas de la obra picassiana

La obsesión de Picasso por los toros comienza en su misma infancia, (1)...................... se ganaba con dibujos los medios para poder asistir los domingos por la tarde a la corrida. Toda su vida permaneció fiel a este espectáculo (2)...................... hispánico centrado en la lucha a muerte entre el hombre y el animal. (3)...................... en su vejez asistía con regularidad a las corridas que se celebraban en Arlès para mantener el contacto directo con la tauromaquia.

El toro es algo (4)...................... un animal, es la encarnación de un mito que desde Grecia hasta nuestros días es señal de potencia y virilidad. Tanto por su dramatismo (5)...................... la insistencia con que trató el tema, éste fue uno de los más vigorosos dentro de la simbología picassiana. La violencia de su embestida, la fuerza bruta, el animal herido, el estertor de la agonía, son elementos que Picasso siente como muy propios y muy próximos.

No tardará en aparecer la figura del minotauro, la más (6)...................... su turbulenta personalidad, un monstruo semidivino, un ser mitad hombre y mitad toro. La expresión antropomórfica de la imagen del toro. El minotauro será poetizado (7)...................... síntesis de la lucha entre el hombre y el toro, de ese ritual entre la vida y la muerte que se da en (8)...................... lidia.

Donde Picasso vierte (9)...................... su admiración por el desarrollo de la corrida es en las aguatintas de 1976 dedicadas al famoso torero Pepe Illo, incluidas en la serie conocida como la Tauromaquia. En ellas recoge, mediante una ágil técnica de siluetas y manchas, todos los movimientos de la corrida y nos presenta al picador, al banderillero y al torero en los momentos más decisivos de sus faenas (10)...................... un trabajo artístico de gran maestría y sorprendente fidelidad documental.

En el fondo se sentía un torero. En (11)...................... una ocasión comparó su quehacer con el trabajo del torero, (12)...................... en su dimensión estética como en la dureza de su combate.

Giralt-Miracle, D.: *Historia 16,* nº 65.

Palabras:

cada
cuando
incluso
cercana a
como
más de
tanto
a través de
tan
toda
más que
como por

5. ¿Qué preposición falta?

1 ▶ Es una persona muy conservadora, hostil .... cualquier innovación en su empresa.

2 ▶ Es capaz de asociarse .... el diablo, con tal de conseguir llegar a la cima.

3 ▶ Cuando llegamos a Chile nos enfrentamos .... una gran cantidad de problemas que en principio no sabíamos cómo resolver.

4 ▶ Ha dejado de quererle, pero se siente incapaz .... decírselo directamente.

5 ▶ Esta situación nos lleva .... el caos, tenemos que cambiar de táctica.

6 ▶ Todo intento de desobediencia sería castigado severamente. El dictador era partidario .... actuar con mano dura.

7 ▶ El premio que ha conseguido es el resultado .... años de estudio e investigación.

8 ▶ Padre e hijo terminaron .... reconciliarse después de varios años de distanciamiento.

9 ▶ El preso se escapó .... la cárcel, pero al poco dieron .... él.

10 ▶ El país cayó .... el dominio de Napoleón, pero consiguió liberarse de él pocos años más tarde.

11 ▶ Este libro que he comprado es .... María, mañana es su cumpleaños.

12 ▶ Antes de firmar el contrato te aconsejo que lo leas .... mucho detenimiento para que no te puedan engañar.

13 ▶ ¿Pero no te has dado cuenta .... que te estábamos esperando?

14 ▶ Nada más salir comenzó .... llover a cántaros, ¡y nosotros sin paraguas! Nos pusimos hechos una sopa.

15 ▶ En la aduana nos obligaron .... declarar todo el dinero que llevábamos encima.

6. ¿*Indicativo* o *subjuntivo*? Completa el texto de Millás con los tiempos y modos adecuados.

El fontanero (*preguntar*) .(1)....................... si (*escribir*) .(2)....................... y antes de darme tiempo a responder (*sacar*) (3)....................... un currículum de la caja de herramientas y (*pedir, a mí*) .(4)....................... que le (*echar*) .(5)....................... un vistazo. "Es para la IBM", dijo retirándose al cuarto de baño, que se me (*inundar*) .(6)....................... . (*Hojear, yo*) .(7)....................... los folios y en seguida (*ver*) (8)....................... que (*hacer*) (9)....................... agua por todas partes, [...] Mi autoestima, en fin, (*crecer*) .(10)....................... dos o tres centímetros mientras (*tachar*) .(11)....................... unas cosas y (*añadir*) .(12)....................... otras hasta que al leerlo con más atención me (*dar*) .(13)....................... cuenta de que aquello no (*tener*) .(14)....................... arreglo. Al rato, el fontanero (*asomar*) .(15)....................... la cabeza y me (*pedir*) .(16)....................... un pedazo de cuero para confeccionar con él una zapata, pues no las (*traer*) .(17)....................... de la medida adecuada.

Durante las dos horas siguientes (*ir, él*) .(18)....................... a su coche un par de veces y (*regresar*) .(19)....................... mascullando improperios contra mis grifos. "Le (*ir*) (20)....................... a hacer una chapuza para ir tirando", (*decir*) .(21)......................., "pero lo más sensato (*ser*) (22)....................... levantar el suelo y colocar unas tuberías de PVC". Le (*responder*) .(23)....................... que era precisamente lo que (*tener*) .(24)....................... que hacer yo con su sintaxis: levantarla entera y ponerla nueva para que las frases no (*perder*) (25)....................... sentido por las junturas, que (*estar*) .(26)....................... podridas. El hombre (*asomarse*) .(27)....................... con desconfianza a la pantalla y (*replicar*) (28)....................... que (*ir*) (29)....................... a cambiar la llave de paso por una que (*comprar*) (30)....................... para otro cliente. Entonces le (*mostrar*) .(31)....................... cuatro oraciones de relativo y dos condicionales que (*sacar*) (32)....................... yo de mi propia caja de herramientas. [...]

Competencia *Gramatical*

Hacia el mediodía *(terminar)* [33] .... él su trabajo y yo el mío. Me *(pedir)* [34] .... quince mil pesetas [...] pero no *(preguntar)* [35] .... si me *(deber)* [36] .... algo por el currículum. Quizá *(pensar)* [37] .... que la escritura *(deber)* [38] .... ser un servicio público.

Millás, J. J.: (adaptado),
El País.

El género de los nombres

▶ **Generalmente son masculinos:**

  ▶ **Los nombres terminados en *-aje, -an* y *-or:*** *el viaje, el plan, el calor* (excepto: *la flor, la labor*).

  ▶ **Unos pocos nombres terminados en *-a*** (entre ellos, los neutros griegos en ***-a***): *el día, el clima, el pijama, el planeta, el mapa, el programa, el sistema, el tema, el idioma.*

  ▶ **Los nombres de colores:** *el rosa, el amarillo, el azul, el verde.*

  ▶ **Los aumentativos en *-ón* de palabras femeninas:** *la nube = el nubarrón, la sala = el salón.*

  ▶ **Las palabras compuestas con raíz verbal:** *el abrelatas, el sacacorchos.*

▶ **Generalmente son femeninos:**

  ▶ **Los nombres que terminan en *-dad, -tad, -tud, -umbre, -ión:*** *la edad, la voluntad, la juventud, la muchedumbre, la canción, la profesión,* etc.

  ▶ **Los nombres que terminan en *-o* que corresponden a una persona de género femenino:** *la modelo.*

  ▶ **Terminaciones especiales para formar el femenino:**

    ▶ ***-esa:*** *el príncipe/la princesa.*
    ▶ ***-isa:*** *el poeta/la poetisa.*
    ▶ ***-ina:*** *el rey/la reina.*
    ▶ ***-triz:*** *el actor/la actriz.*

▶ **Son invariables:**

  ▶ **Los nombres que terminan en *-ista, -ante:*** *el/la periodista, el/la taxista, el/la cantante, el/la estudiante,* etc. (excepción: *el/la dependiente/a, el/la cliente/a*).

  ▶ **Muchos adjetivos sustantivados con el artículo permanecen invariables, así como unos pocos sustantivos:** *el/la joven, el/la imbécil, el/la testigo.*

▶ **Casos especiales:**

  ▶ **Todas las palabras que comienzan por *-a* tónica, aunque sean femeninas, en singular van con los determinantes *el, un, algún, ningún:*** *águila, arma, área, agua, aula, alma, hambre,* etc.

  ▶ **En muchos nombres de animales hay que especificar si son macho o hembra:** *mosca, mosquito, rata.*

  ▶ **Se usan palabras diferentes para:** *hombre/mujer, marido/mujer, padre/madre.*

▶ **Cambio de significado según el género:**

  ▶ **Palabras con la misma terminación cambian de significado según se usen como masculinas o femeninas:** *el/la editorial, el/la vocal, el/la policía, el/la frente, el/la orden, el/la capital, el/la guía, el/la pendiente,* etc.

  ▶ **Palabras idénticas tienen significado diferente según terminen en *-o* o en *-a:*** *suelo/a, bolso/a, ramo/a, cuchillo/a, cuadro/a, tallo/a, rueda/o, manto/a, anillo/a, barco/a, puerto/a, río/a, madero/a, punto/a, jarro/a, huevo/a,* etc.

7. ¿*Masculino* o *femenino*? Elige la opción adecuada.

Ahora que veo *(el / la)* guía de Galicia me acuerdo de *(el / la)* día en que nos sacamos *(ese / esa)* foto Fernando y yo durante *(nuestro / nuestra)* viaje por las Rías Altas.

Estábamos en *(un / una)* *(barco / barca)* de remos y había *(mucho / mucha)* corriente en *(el / la)* agua. Al pasar por debajo de *(un / una)* puente vimos en *(el / la)* margen *(derecho / derecha)* de la ría a unos niños que corrían con toda *(el / la)* alma para intentar hacer volar *(unos / unas)* cometas de papel. De vez en cuando *(algún / alguna)* águila surcaba el cielo planeando con *(los / las)* alas como un avión siendo *(el / la)* *(único / única)* *(testigo / testiga)* de nuestros esfuerzos. *(El / La)* panorama era fenomenal y *(el / la)* clima de *(el / la)* región muy agradable en verano.

En cierto momento me hice *(un / una)* corte en *(el / la)* mano con *(un / una)* *(ramo / rama)*. Cortaba como *(un / una)* *(cuchillo / cuchilla)* de afeitar y Fernando tenía *(el / la)* dilema de decidir si interrumpíamos *(el / la)* excursión para que me hicieran *(un / una)* cura o continuábamos. Consultó *(el / la)* mapa y vio que todavía estábamos muy lejos del pueblo más cercano, así que dio *(el / la)* orden de seguir remando. Yo no podía porque *(el / la)* sangre manaba a borbotones de *(el / la)* *(herido / herida)*, pero tampoco quería montar *(un / una)* drama. Saqué *(el / la)* *(cuchillo / cuchilla)* de monte de *(el / la)* *(bolso / bolsa)* de deportes que había llevado conmigo. *(Éste / Ésta)* tenía *(mucho / mucha)* *(punto / punta)* y corté un trozo de tela de mi propia camisa para hacerme *(un / una)* vendaje.

Por *(el / la)* radio escuchamos *(el / la)* parte meteorológico, que anunciaba una galerna. Efectivamente, apareció *(el / la)* *(primer / primera)* nubarrón y enseguida *(los / las)* nubes cubrieron el cielo y empezó a llover y, aunque teníamos *(un / una)* paraguas, no podíamos abrirlo y seguir remando, por lo que acabamos más mojados que *(un / una)* pez. Menos mal que antes de llegar a *(el / la)* *(puerto / puerta)* nos recogió *(un / una)* guardacostas en su *(barco / barca)*, porque no sé si lo hubiéramos conseguido solos.

Dicen que *(el / la)* juventud no conoce el miedo, pero yo *(ese / esa)* día me asusté de verdad, y eso que no soy *(ningún / ninguna)* gallina.

Expresión e interacción
Escrita

Antes de nada ▼

EL CUERPO DE LA CARTA

Se compone de:

▶ **Introducción:** donde se expone el motivo de la carta (informar sobre algo, solicitar, protestar, etc.)

▶ **Exposición:** donde se desarrolla el asunto. La redacción tiene que ser clara y precisa además de estar bien estructurada.

▶ **Conclusión:** donde se destaca algún tema importante: (expresar deseo, agradecer, pedir disculpas, etc.)

Quedo a su disposición para cualquier duda o aclaración.

En espera de su respuesta les saludamos cordialmente.

Agradecemos de antemano su atención.

¡ACCIÓN!

Una beca para estudiar en España

Solicita una beca.

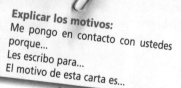

Recursos

▶ Te has enterado en tu universidad de que el departamento de lenguas modernas de una universidad española concede becas a los estudiantes extranjeros de español. Escribe una carta a dicha universidad para informarte sobre la beca y sobre lo que tienes que hacer para solicitarla. No olvides utilizar el tono y estilo apropiados. En la carta tienes que:

▶ Presentarte.

▶ Explicar los motivos por los que te interesa solicitar la beca y qué tienes que hacer para ello.

▶ Pedir información sobre las becas (tipo de cursos que se ofrecen, cuantía económica, fechas y duración, alojamiento, etc.).

▶ Despedirte dándoles las gracias anticipadas.

Pedir información:
Quisiera informarme...
Agradecería que me detallaran...
Me gustaría que me proporcionaran información sobre...
¿Podrían informarme sobre...?

Explicar los motivos:
Me pongo en contacto con ustedes porque...
Les escribo para...
El motivo de esta carta es...

Mostrar interés:
Estoy interesado en...
Tengo mucho interés en...

Agradecer la atención:
Agradeciéndoles de antemano...
Muchas gracias por su atención.
Dándoles las gracias por anticipado...

La guerra es un enorme esfuerzo

Expresa tu opinión.

"El pacifista ve en la guerra un daño, un crimen o un vicio. Pero olvida que, antes de eso y por encima de eso, la guerra es un enorme esfuerzo que hacen los hombres para resolver ciertos conflictos. La guerra no es un instinto, sino un invento. La renuncia a la guerra no suprime estos conflictos."

"No se espere entonces nada mientras el pacifismo, de ser gratuito y cómodo deseo, no pase a ser un difícil conjunto de nuevas técnicas."

Ortega y Gasset, J.: *La rebelión de las masas*, Círculo de Lectores.

▶ Expresa tu punto de vista en un texto de 150-200 palabras. Puedes ayudarte de las siguientes preguntas:

- ▶ ¿Crees que las guerras solucionan conflictos o los crean?
- ▶ ¿Tienen los gobernantes suficiente autoridad moral para declarar guerras en nombre de todo un pueblo?
- ▶ ¿Cómo deberían resolverse los conflictos entre países?
- ▶ ¿Qué acciones y actitudes consideras necesarias para impulsar los proyectos de paz?

Recursos

Sustantivos negativos: peligro, problema, riesgo, temor, perversión, desventaja, cobardía, complicación, crisis, bloqueo, dificultad, etc.

Adjetivos negativos: grave, complicado, terrible, inseguro, frágil, etc.

Verbos: pretender, reclamar, aceptar, confiar, solucionar, estimar, admitir, constituir, legalizar, impulsar, obligar, formalizar, defender, etc.

Expresión e interacción *Oral*

La lengua nuestra *de cada día*

Cada oveja con su pareja

1. Relaciona las expresiones con su definición.

1 ▶ Dar por zanjado un tema o discusión.

2 ▶ Hacer algo en un santiamén.

3 ▶ Vivir al día.

4 ▶ Hacérsele a uno la boca agua.

5 ▶ Salirse con la suya.

a ▶ Rápidamente, en muy poco tiempo.

b ▶ Gastar todo lo que se gana sin ahorrar.

c ▶ Poner fin a desacuerdos o discordias.

d ▶ Imponerse, imponer la propia voluntad.

e ▶ Deleitarse con el recuerdo de una cosa agradable, o con la esperanza de conseguirla.

¿A que no sabes?

2. Elige la opción adecuada para cada contexto.

1 ▶ Después de varios intentos fallidos de hablar con él a fin de arreglar la situación:
   a. He decidido dar por zanjado el asunto.
   b. He decidido vivir al día.
   c. He pensado hacerlo en un santiamén.

2 ▶ Me molesta enormemente la actitud de Clara, es muy cabezona, no para hasta:
   a. Dar por zanjado el asunto.
   b. Salirse con la suya.
   c. Hacerlo en un santiamén.

3 ▶ Es que, cuando veo algo de chocolate no puedo resistirme, tengo que comprármelo porque...
   a. Se me hace la boca agua.
   b. Vivo al día.
   c. Me salgo con la mía.

En otros lugares

3. Contesta a las siguientes preguntas:

■ Di qué cosas haces normalmente en un santiamén y por qué.

■ ¿En qué situaciones se te hace la boca agua?

■ ¿Cuáles son para ti los inconvenientes de vivir al día?

■ ¿Hay expresiones equivalentes en tu lengua?

Expresión e interacción *Oral*

Hablando se entiende la gente

Globalización y terrorismo

Lee la siguiente información.

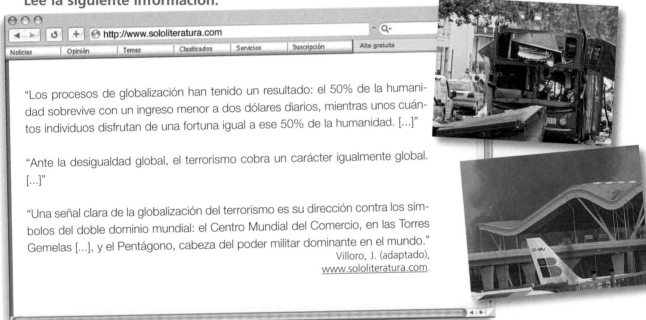

http://www.sololiteratura.com

| Noticias | Opinión | Temas | Clasificados | Servicios | Suscripción | Alta gratuita |

"Los procesos de globalización han tenido un resultado: el 50% de la humanidad sobrevive con un ingreso menor a dos dólares diarios, mientras unos cuántos individuos disfrutan de una fortuna igual a ese 50% de la humanidad. [...]"

"Ante la desigualdad global, el terrorismo cobra un carácter igualmente global. [...]"

"Una señal clara de la globalización del terrorismo es su dirección contra los símbolos del doble dominio mundial: el Centro Mundial del Comercio, en las Torres Gemelas [...], y el Pentágono, cabeza del poder militar dominante en el mundo."

Villoro, J. (adaptado),
www.sololiteratura.com.

Prepara tu intervención. ► **En grupos:** reflexionad sobre el tema de la globalización (causas y consecuencias) y completad el siguiente cuadro con argumentos a favor o en contra.

A FAVOR	EN CONTRA

► Cada uno elige una de las siguientes cuestiones para hacer una exposición de 10 minutos sobre el tema ante su grupo:

   ► Relación globalización / terrorismo.

   ► Grupos terroristas, ideología y objetivos que persiguen.

   ► Relación terrorismo / pobreza: ¿por qué los países más pobres del planeta no tienen este tipo de terrorismo internacional?

   ► ¿Por qué muchos de los atentados también van contra la población civil?

Recursos

¡ACCIÓN!

Exposición oral

► En la exposición deberás:

   ► Presentar el tema aportando datos específicos.

   ► Justificar o argumentar con ejemplos.

   ► Concluir con alguna pregunta abierta hacia los demás componentes del grupo.

Introducir el tema: la verdad es que, me gustaría decir que, me gustaría decir que, empecemos por...

Enumerar argumentos: por un lado/por otro, por una parte/por otra, en primer lugar/en segundo...

Añadir: además, cabe añadir...

Resumir y concluir: en pocas palabras, para terminar, así pues llegamos a la conclusión...

ESTILO INDIRECTO

- En el estilo directo el hablante reproduce textualmente un mensaje.

- En el estilo indirecto el hablante reproduce el mensaje con algunos cambios.

- Los cambios del estilo directo al indirecto se dan en el tiempo verbal, en el nexo, en el tiempo referido por los adverbios, en las referencias espaciales y en las personales.

▶ **CAMBIOS EN EL TIEMPO VERBAL**

Verbo introductor:

▶ **Presente, Pretérito Perfecto, Futuro** (*dice, ha dicho, dirá*): no hay cambios de tiempo ni modo.

▶ **Pretérito Indefinido, Pretérito Imperfecto, P. Pluscuamperfecto** (*dijo, decía, había dicho*): se producen los siguientes cambios:

ESTILO DIRECTO	ESTILO INDIRECTO *(dijo, decía, había dicho)*
■ **Presente:** *Me parece fácil.*	■ **Pretérito Imperfecto:** *...que le parecía fácil.*
■ **Pretérito Indefinido:** *Llegué anoche.*	■ **Pretérito Indefinido/P. Pluscuamperfecto:** *...que llegó / había llegado la noche anterior.*
■ **Pretérito Perfecto:** *Nos hemos casado.*	■ **P. Pluscuamperfecto:** *...que se habían casado.*
■ **Futuro Simple:** *Lo haré mañana.*	■ **Condicional Simple / *iba a* + infinitivo:** *...que lo haría al día siguiente / ...que lo iba a hacer al día siguiente.*
■ **Futuro Perfecto:** *Lo habrán terminado.*	■ **Condicional Compuesto:** *...que lo habrían terminado.*
■ **Pretérito Perfecto subjuntivo:** *Cuando haya comido, te llamaré.*	■ **P. Pluscuamperfecto:** *...que cuando hubiera comido lo llamaría.*

El Condicional Simple y Compuesto, así como el Pretérito Imperfecto y el P. Pluscuamperfecto de indicativo y subjuntivo no se modifican en el estilo indirecto.

▶ **CAMBIOS EN EL MODO**

Imperativo: *Recoge tu habitación.*

▶ **Presente de subjuntivo:** (*dice, ha dicho, dirá*) *...que recoja mi habitación.*

▶ **Pretérito Imperfecto de subjuntivo:** (*dijo, decía, había dicho*) *...que recogiera mi habitación.*

▶ **CAMBIOS EN EL NEXO**

▶ **Con partícula interrogativa:** se repite la partícula anteponiendo, si se desea, *que*.

- *¿Cómo te llamas?* ➡ Pregunta (que) cómo te llamas.

- *¿Quién ha cambiado la mesa?* ➡ Pregunta (que) quién ha cambiado la mesa.

- *¿Qué opinas?* ➡ Pregunta (que) qué opinas.

▶ **Sin partícula interrogativa:** se introducen con *si*.

- *¿Vives aquí?* ➡ Pregunta si vives aquí.

▶ **CAMBIOS EN EL TIEMPO REFERIDO POR EL ADVERBIO**

- ▶ *Hoy* ▶ *Ese día, aquel día*
  Hoy tengo prisa. ▶ *Aurora me dijo que ese día tenía prisa.*

- ▶ *Mañana* ▶ *Al día siguiente*
  Mañana te llamaré. ▶ *Celia me dijo que me llamaría al día siguiente.*

- ▶ *Ayer* ▶ *El día anterior*
  Ayer te vi en la calle. ▶ *Luisa me dijo que me había visto en la calle el día anterior.*

▶ **CAMBIOS EN LA REFERENCIA ESPACIAL**

Hay que tener siempre presente la situación espacial de los que hablan.

- ▶ *Aquí* ▶ *Allí*
  Ven aquí. ▶ *Me dijo que fuese allí.*

- ▶ *Este* ▶ *Aquel, ese*
  Quiero este. ▶ *Me dijo que quería ese.*

▶ **CAMBIOS EN LA PERSONA**

Hay que tener en cuenta quién habla y a quién se refiere el discurso. Suele haber cambios en los pronombres personales y en los posesivos (adjetivos o pronombres).

Este libro no es mío. ▶ *Me dijo que aquel libro no era suyo.*

Verbos útiles. Los siguientes verbos pueden sustituir a *decir:*

- ▶ **Verbos de lengua:** *aclarar, admitir, afirmar, agradecer, alegar, asegurar, balbucir, citar, contar, decir, declarar, explicar, expresar, gritar, hablar, indicar, informar, insistir, llamar, narrar, negar, nombrar, observar, pedir, precisar, preguntar, proferir, pronunciar, razonar, repetir, responder, señalar,* etc.

- ▶ **Verbos de actitud:** *aclamar, acceder, acordar, alegrarse, asentir, burlarse, conformarse, creer, decidir, desesperarse, despedir, dudar, excitarse, insultar, enfadarse, molestarse, mostrarse* + adjetivo, *negarse, reprochar, saludar, sentirse* + adjetivo, *sorprenderse, tranquilizar(se), turbarse,* etc.

Para consolidar y ampliar tus conocimientos te recomendamos...

Unidad 8

Comprensión *Lectora*

- ▶ **Julián Marías:** *Occidente.*
- ▶ **Más de cerca:** actividades y estrategias de control de la comprensión.
- ▶ **Enriquece tu léxico:** actividades y estrategias para ampliar el vocabulario.

Comprensión *Auditiva*

- ▶ **Entrevista a Helen Fischer.** *Ser infiel es un impulso evolutivo.*
- ▶ Actividades y estrategias de control de la comprensión.

Competencia *Gramatical*

Contenidos propios de la unidad
- ▶ Formas no personales del verbo.

Contenidos generales
- ▶ Contraste *ser / estar.*
- ▶ Completa con las palabras y expresiones de la lista.
- ▶ Preposiciones.
- ▶ Tiempos y modos verbales.

Algo más
- ▶ Formación del diminutivo.

Expresión e interacción *Escrita*

▶ **Escribir una carta** para referirse a un anuncio, mostrar interés, hablar de experiencia y formación, solicitar una entrevista.

▶ **Escribir un artículo especializado.** El encanto de la música.

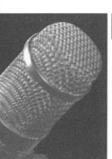

Expresión e interacción *Oral*

▶ **La lengua nuestra de cada día:** expresiones, refranes y frases hechas.

▶ **Hablando se entiende la gente:** Algo más que monos, mucho menos que humanos.

▶ **Exposición oral.**

▶ Formas no personales del verbo.

Unidad

8

Julián Marías

(1914-2005)

DATOS BIOGRÁFICOS

Filósofo, sociólogo y ensayista católico nacido en Valladolid. Estudió Filosofía y Letras en la Universidad Complutense de Madrid, donde conoció a Ortega y Gasset, de quien fue discípulo y amigo. Además de continuador e impulsor de la obra de Ortega, Marías fue un gran estudioso de Unamuno. Fue encarcelado por el régimen franquista, por lo que no pudo publicar su primera obra, *Historia de la Filosofía*, hasta 1941. En la década de los 50 se le impidió acceder a la cátedra que Ortega había dejado vacante. Realizó numerosas estancias docentes en universidades norteamericanas. En 1964 fue elegido miembro de la Real Academia Española. En 1977 fue nombrado senador real por Don Juan Carlos y tres años después la Universidad Nacional de Educación a Distancia le concedió la Cátedra de Filosofía Española. Obtuvo el premio Príncipe de Asturias de Comunicación y Humanidades en 1996.

SU OBRA

Entre sus obras más destacadas se encuentran: *Historia de la filosofía, Ortega y la idea de la razón vital, El existencialismo en España, la España real, La devolución de España, El oficio del pensamiento, Justicia social y otras injusticias, Problemas del Cristianismo, La mujer en el siglo xx, Ser español, La felicidad humana, Tratado de lo mejor.* Sus obras han sido traducidas a varios idiomas.

Occidente

Se habla con frecuencia de la unidad del mundo. Es cierto que todo él está en alguna medida presente y tenemos que contar con la totalidad; pero ni el mundo es uno ni acabamos de entenderlo en su conjunto [...]. Se habla mucho de Europa y se desliza la creencia de que es una unidad suficiente; esto no es cierto: Europa en ningún sentido se basta a sí misma, y no acaba de ser inteligible sin la América nacida de ella; ambas, inseparables, constituyen una realidad que se puede entender y se diferencia de otras, importantes y con las que por supuesto hay que contar.

Me sorprende lo poco que se habla de Occidente a pesar de que significa el ámbito en el cual vivimos, con el que realmente contamos, nuestra verdadera morada histórica. El Atlántico no nos separa de América, sino que es el vínculo de unión, la constante referencia a nuestra morada vital y, desde hace varios siglos, histórica. Hay una extraña propensión a olvidar las realidades en las que se vive, mientras que se afirman porciones de ellas que aisladas son incomprensibles, o se finge una unidad mundial que ni existe ni se entiende.

Europa tiene cierta unidad, pero en ella predomina la diversidad, no solo lingüística, sino de las maneras en que cada persona está instalada en la vida. Frente a esta diversidad hay la extraña y firme convergencia de los que viven en español a ambos lados del Atlántico. Con demasiada frecuencia se olvida que la lengua es una de las instalaciones primarias de la vida, que presenta una articulación de lo real, una tonalidad que se manifiesta en la fonética, en la sintaxis, en todo lo que es la articulación del mundo efectivo.

El español y el inglés son las dos lenguas privilegiadas que existen como propias a ambos lados del Atlántico, y permiten entender la conexión de los dos continentes. Resulta que el vínculo principal de Occidente es lingüístico. Esto puede parecer excesivo si se olvida que la lengua es la interpretación primaria de la realidad, que precede a todas las demás, étnicas, ideológicas o políticas. Los que hablan como propia la misma lengua están unidos por uno de los vínculos más fuertes que ligan a las diversas porciones de la humanidad. Es difícil comprender el elemento de voluntad suicida que tiene la insistencia de lo diferencial, en las lenguas particulares, tan dignas y

valiosas, cuando ... erso en otra de mayor amplitud, instrumento de la comprensión de un mundo más dilatado y real.

Todas las lenguas tienen interés, filológico, histórico, humano; pero hay que preguntarse cuántos hablan cada una, qué se puede decir en ellas, qué se puede leer en cada una de ellas, qué se ha escrito en cada una. Esta consideración tiene aplicación inmediata en el conjunto de Europa, y establece diferencias capitales que no proceden de la voluntad, menos aún de la política, sino que se fundan en la realidad misma, constituida a lo largo de la historia. Las lenguas europeas están estrechamente emparentadas. Han convivido, se han influido mutuamente; el verlas como recíprocamente ajenas, no digamos hostiles, es simplemente suicida. La fecundidad, ciertamente desigual, de las naciones europeas, se manifiesta en la realidad mayor que es Occidente. Su configuración es el reflejo de la que ha sido la historia europea durante los últimos siglos. De la diversidad de la acción, y más aún, de la actitud, de las distintas naciones.

El mapa de América es la proyección de lo que ha sido la realidad originaria de Europa desde fines del siglo XV, la consecuencia de la imaginación, el espíritu de aventura, la capacidad de propagación de las diversas variedades de Europa. Porciones de este viejo e ilustre continente han vivido cerradas, absortas en sí mismas, tal vez enriquecidas pero limitadas. Otras han estado abiertas, curiosas, tal vez generosas, capaces de ir más allá de sí mismas; en suma, fecundas. Ese mapa de América descubre, con su enorme realidad, la diversa fecundidad de Europa, sus diferentes grados de apertura y proyección. La proyección exterior ha podido ser una manera de desangrarse; también de engendrar una prole mayor o menor. La actitud conservadora, más o menos hermética, tiene sus ventajas y virtudes; la apertura a la generación tiene riesgos y venturas distintos. Lo que es América descubre lo que ha sido Europa desde 1492. Si el Descubrimiento hubiese acontecido en otra época, los resultados habrían sido bien distintos; la cuestión decisiva es dónde estaban las diversas porciones de Europa en el momento en que algunas de ellas acometieron la empresa inmensa de la fecundación de otro continente.

Marías, J.: Occidente (adaptado),
<u>www.conoze.com</u>

---

1. Señala si es verdadero (V) o falso (F) según el texto.

	V	**F**
1. El mundo presenta una unidad equiparable a la de Europa y América.	☐	☐
2. En Occidente se habla poco del ámbito en que vivimos.	☐	☐
3. El hecho de que se hable español e inglés a ambos lados del Atlántico es un extraño fenómeno.	☐	☐
4. Gracias al predominio del inglés los dos continentes pueden entenderse como si hablaran lenguas propias.	☐	☐
5. El punto de unión más importante de Occidente es el español y el inglés.	☐	☐

2. Elige la opción correcta.

1. Según Julián Marías todas las lenguas tienen interés, pero...

  a. unas tienen mayor peso debido a su realidad histórica.

  b. en todas no se pueden escribir las mismas cosas que se dicen.

  c. ni la política ni la voluntad pueden establecer diferencias capitales entre ellas.

2. Occidente es una realidad...

  a. que posee un origen lingüístico común.

  b. que abarca distintas lenguas, actitudes y naciones.

  c. que se ve configurada por las distintas acciones de sus pueblos.

3. La realidad americana obedece a...

  a. las distintas realidades históricas de los países que la colonizaron.

  b. la imaginación de sus pobladores.

  c. una actitud conservadora que tiene sus virtudes y ventajas.

3. Haz un resumen.

Resume en una frase cada uno de los párrafos del texto y ponles un título.

1. Relaciona las palabras del texto con sus sinónimos.

1.	frecuente		**a.**	simular
2.	inteligible		**b.**	casa
3.	morada		**c.**	matiz
4.	vínculo		**d.**	ensimismado
5.	propensión		**e.**	emprender
6.	aislar		**f.**	asiduo
7.	fingir		**g.**	comprensible
8.	converger		**h.**	adverso
9.	tonalidad		**i.**	nexo
10.	preceder		**j.**	procrear
11.	insistir		**k.**	insigne
12.	hostil		**l.**	coincidir
13.	fecundidad		**m.**	difundir
14.	propagar		**n.**	fertilidad
15.	ilustre		**ñ.**	descendencia
16.	absorto		**o.**	incomunicar
17.	engendrar		**p.**	anteceder
18.	prole		**q.**	porfiar
19.	hermético		**r.**	tendencia
20.	acometer		**s.**	impenetrable

2. Encuentra el antónimo.

1.	presente		**a.**	comunicar
2.	inteligible		**b.**	unir
3.	aislar		**c.**	ausente
4.	separar		**d.**	confuso
5.	converger		**e.**	esterilidad
6.	preceder		**f.**	contraer
7.	fecundidad		**g.**	causa
8.	dilatar		**h.**	divergir
9.	consecuencia		**i.**	cierre
10.	apertura		**j.**	seguir

¿y tú?

3. Las siguientes definiciones hacen referencia a términos de los ejercicios 1 y 2. ¿De qué términos se trata? Escribe un ejemplo con cada una.

1 ▶ Juntarse, reunirse dos o más cosas en cierto punto: ....
....

2 ▶ Hacer que una cosa ocupe más espacio del que ocupa: ....
....

3 ▶ Ir o estar una cosa delante de otra: ....
....

4 ▶ Comenzar una empresa o trabajo: ....
....

5 ▶ Estar con la atención puesta intensamente en lo que se piensa o se hace: ....
....

4. Completa las frases con las palabras del vocabulario. Haz las transformaciones necesarias.

asiduo
hermético
morada
conexión
reflejarse

inteligible
difundir
hostil
inmersión
en suma

propenso
impenetrable
deslizarse
capital
etnia

fingir
aislar
ámbito
emparentado
decisivo

1 ▶ Es necesario que se .... la noticia para que no pille a nadie por sorpresa.

2 ▶ Mi padre es un .... a la ópera. Desde que era joven le entusiasmaba.

3 ▶ A mis hijos les encanta .... por los toboganes del parque.

4 ▶ La avaricia es uno de los siete pecados ....

5 ▶ Mis bisabuelos estaban .... con el primer ministro de Indias de Carlos III.

6 ▶ Los científicos han conseguido .... ese peligroso virus.

7 ▶ Los residuos nucleares se almacenan en el fondo del mar en bidones ....

8 ▶ Las relaciones con el país vecino son bastante .... desde hace décadas.

9 ▶ Se está haciendo un gran esfuerzo por integrar a las diferentes .... del país.

10 ▶ Hasta que no me hagan la .... de la línea telefónica no podré comunicarme contigo.

11 ▶ Afortunadamente tenía una letra .... y no tuvimos problemas para pasar sus notas de Arte.

12 ▶ En la selva amazónica hay zonas .... para el hombre.

13 ▶ Cuando le preguntas cómo le van las cosas con Juan, siempre dice que muy bien, pero no la puedes creer, pues le encanta ....

14 ▶ Ha sido promulgada una nueva ley de .... nacional.

15 ▶ Falleció el lunes y el martes lo acompañamos a su última ....

16 ▶ He decidido no aceptar el trabajo en China; está muy lejos, el sueldo no es muy bueno y, además, no hablo la lengua; ...., que no me conviene.

17 ▶ Carlos es un niño con pocas defensas, muy .... a las infecciones.

18 ▶ Dio un paso .... cuando decidió cambiar de profesión y hacer lo que verdaderamente le gustaba.

19 ▶ La luz .... en su rostro dándole un aire angelical.

20 ▶ Cuando el capitán dio la orden de ...., se apoderó de mí el pánico, pues era la primera vez que viajaba en un submarino.

5. ¿*Masculinas* o *femeninas*? *Fecundidad, tonalidad* son palabras abstractas que terminan en -*dad*. ¿Qué otras palabras abstractas terminadas en -*dad* conoces? Escríbelas y ponles el artículo.

Comprensión *Auditiva*

► Ser infiel es un impulso evolutivo

 1. Escucha lo que dice Helen Fischer y di si las siguientes afirmaciones son verdaderas (V) o falsas (F).

		V	F
1 ►	La infidelidad es algo que se da en todas las culturas.	☑	☐
2 ►	La infidelidad se justifica porque así se pueden tener muchos hijos y los genes pierden su importancia.	☐	☑
3 ►	Las parejas estables aparecieron cuando los hombres comprendieron lo importante que es el cariño.	☐	☑
4 ►	Según la entrevistada, amor romántico y atracción sexual son incompatibles.	☐	☑
5 ►	Hay personas que, por su carácter, tienden a ser más infieles que otras.	☑	☐

 2. ¿Lo has entendido bien? Elige la opción correcta.

La entrevistada dice que:

1
▼

a. el adulterio, según Darwin, sirve para que nuestros genes no se pierdan.

b. un hombre adúltero tiene el doble de posibilidades de engañar a su mujer.

c. una mujer adúltera puede tener hijos con genes similares.

2
▼

a. los circuitos del cerebro no pueden actuar al mismo tiempo.

b. el circuito del amor romántico sirve para reproducirse indefinidamente.

c. los tres circuitos del cerebro pueden actuar en distintas direcciones a la vez.

3
▼

a. la especie humana se vuelve más atractiva a causa del adulterio.

b. las personas pueden decidir libremente si se mantienen fieles o no a su pareja.

c. algunas personalidades son más libres que otras a la hora de cometer adulterio.

Competencia Gramatical

1. Sustituye las formas no personales por una oración y di qué valor tienen (temporal, modal, etc.)

1 ▶ **Acabada** la manifestación, los participantes se dispersaron pacíficamente.

2 ▶ No se te ocurra beber agua de aquí **sin haberla hervido** previamente.

3 ▶ **De haber sabido** que su marido la engañaba, no sé cómo hubiera reaccionado.

4 ▶ **Teniendo** tantos pretendientes, es lógico que se dé aires de reina.

5 ▶ **Pese a no dar** la talla, sigue intentando ingresar en el ejército.

6 ▶ Debemos realizar algunos cambios en el negocio **en orden a conseguir** mayor rentabilidad.

7 ▶ Es difícil contentar a todos **aun esforzándose por agradar** al mayor número de personas.

8 ▶ ¿A qué salario puedo aspirar **tras finalizar** un máster?

9 ▶ Solo **actuando** rectamente, podremos afrontar los problemas.

10 ▶ La madre de Luis hizo de madrina en su boda, **llorando** como una magdalena durante toda la ceremonia.

11 ▶ No te rindas, **ni aun vencido**. Ya te llegará la ocasión de demostrar lo que vales.

12 ▶ Cuando se propone algo, no descansa **hasta conseguirlo**.

13 ▶ **Bien mirado**, los sistemas relativistas no son menos perjudiciales que el materialismo.

14 ▶ No comprendo cómo se ha llevado el premio ella, **habiendo** candidatos con mejores aptitudes.

15 ▶ **Habiendo realizado** sus estudios de posgrado en una prestigiosa universidad, consiguió la plaza de profesor adjunto.

16 ▶ Mi abuelo contrajo matrimonio **poco antes de partir** hacia el frente como voluntario, **no sabiendo** que su mujer estaba embarazada.

17 ▶ Se alistó en el ejército **pensando** que sería lo mejor.

18 ▶ ¿Serías capaz de cambiar una rueda del coche tú solo, **llegada** la ocasión?

19 ▶ **Pasada** la primera impresión, pudimos comprobar que la magnitud de los daños no fue tan grande.

20 ▶ Decidió irse a vivir a una ciudad más pequeña **pensando** que sería lo mejor.

2. ¿*Ser* o *estar*? Completa el texto con el tiempo y modo adecuados.

Una de estas noches yo llegué a Las Vegas y me encontré con toda esa gente que no había quien la cambiara y una voz zambullida en la oscuridad me dijo: Fotógrafo, siéntate aquí, toma algo, que yo pago, y .(1)........................ nada menos que Vítor Perla. Vítor tiene una revista que se dedica a poner muchachitas medio en cueros y a decir: una modelo con un futuro que salta a la vista o las poderosas razones de Tania Talporcual o la BB cubana dice que .(2)........................ Brigitte la que se parece a ella y cosas parecidas, que no sé de dónde sacan porque deben de tener un almacén de mierda en el cerebro para poder decir tantas cosas de una chiquita que ayer nada más .(3)........................... manejadora o criadita o trabajaba en Muralla y hoy .(4)........................ luchando con todo lo que tiene para destacarse. Ya ven, ya .(5)........................ hablando como ellos. Pero por alguna razón misteriosa (y si yo .(6)........................ un redactor de chismes en vez de las *"eses"* de misterioso pondría dos signos de peso) Vítor había caído en desgracia, .(7)........................ por eso que me asombré de que todavía .(8)........................ de tan buen humor. Mentira, lo primero que me asombró .(9)........................ que todavía .(10)........................ suelto y me dije: "Esta mierda todavía flota", y se lo dije. Bueno, quiero decir que le dije, Gallego, .(11)........................ un corcho español, y él sin perder la calma me contestó muerto de risa, Sí, pero tengo que tener algún plomo "clavao" adentro, porque ando medio "escorao".

Cabrera Infante, G.: *Tres Tristes Tigres* (fragmento),
Seix Barral, Barcelona.

Competencia Gramatical

3. Completa el texto con las expresiones siguientes.

> dale que dale
> venga
> ¡vaya....!
> ¡estás tú bueno!
> ¡ni hablar!

1 ▶ ● Nosotros queríamos ir a nadar hoy, ¿tú que dices?
○ Yo, ¡ni loca! ¡............................ día de perros que habéis elegido!

2 ▶ ● Creo que no tendrá inconveniente en darme cinco días de permiso. Él sabe mejor que nadie que trabajo como un loco.
○ .... El tipo exige mucho, pero no da nada a cambio.

3 ▶ ● No quiero volver a verle en mi vida.
○ ...., perdónale, mujer, te quiere muchísimo.

4 ▶ ● Papá, déjame salir esta noche.
○ Otra vez con lo mismo, te he dicho mil veces que no y tú ...., parece que estás sordo de remate.

5 ▶ ● Mamá, me gustaría que me dejaras tu coche este fin de semana, te prometo que no voy a correr.
○ .... ¡Hasta ahí podíamos llegar!

4. ¿Qué preposición falta?

1 ▶ Tienes que ser fiel .... tus principios, es indispensable para sentirte bien contigo mismo.

2 ▶ Tenemos que organizarnos .... grupos de trabajo para no dejarnos llevar por el caos.

3 ▶ No pienso pagar mucho por una casa que se construyó hace treinta años, ... lo sumo 100.000 euros.

4 ▶ El vino tinto no va bien .... el pescado, tiene un sabor demasiado fuerte.

5 ▶ Los soldados permanecieron .... silencio absoluto durante la visita del general.

6 ▶ Aunque se parecen físicamente, son completamente distintos .... carácter.

7 ▶ Era un individuo que no temía .... nadie, pero cuando iba al dentista temblaba de miedo.

8 ▶ Aunque no me llamó para confirmar su asistencia, yo doy .... supuesto que vendrá.

9 ▶ Yo creo que si vamos por el camino .... la derecha saldremos directamente al lago.

10 ▶ El instinto de supervivencia es esencial .... todos los seres vivos.

11 ▶ Los tatuajes son, ... alguna manera, una forma de distinguirse de los demás.

12 ▶ Sí, es verdad que este chico tiene ciertas manías, pero tengo que pasarlas .... alto. ¿Quién es perfecto?

13 ▶ Algunos artículos de la Constitución fueron modificados .... el Parlamento para adaptarlos a los nuevos tiempos.

14 ▶ .... medida que vayan entrando los alumnos, les vas dando los libros.

15 ▶ La aspirina hace efecto .... el dolor de una manera inmediata.

16 ▶ He pensado que .... lugar .... cenar aquí podríamos cenar fuera, ¿no?

17 ▶ Por problemas .... el fluido eléctrico, estaremos .... luz durante dos horas.

18 ▶ No quiero gastarme más .... la mitad .... el sueldo .... letras.

19 ▶ Tenemos que solucionarlo esta semana .... falta.

20 ▶ Muchas personas se resisten .... aceptar la realidad.

Competencia *Gramatical*

5. ¿*Indicativo* o *subjuntivo*? **Completa el siguiente texto con los tiempos y modos adecuados.**

En Turdera los llamaban los Nilsen. El párroco me *(decir)* .....(1)..... que su predecesor *(recordar)* .....(2)....., no sin sorpresa, haber visto en la casa de esa gente una gastada Biblia de tapas negras, con caracteres góticos; en las últimas páginas *(entreverse)* .....(3)..... nombres y fechas manuscritos. *(Ser)* .....(4)..... el único libro que *(haber)* .....(5)..... en la casa. La azarosa crónica de los Nilsen, perdida como todo *(perderse)* .....(6)..... . El caserón, que ya no *(existir)* .....(7)....., era de ladrillo sin revocar; desde el zaguán *(divisarse)* .....(8)..... un patio de baldosa colorada y otro de tierra. Pocos, por lo demás, entraron ahí; los Nilsen *(defender)* .....(9)..... su soledad. En las habitaciones desmanteladas *(dormir)* .....(10)..... en catres; sus lujos *(ser)* .....(11)..... el caballo, el apero, la daga de hoja corta, el atuendo rumboso de los sábados y el alcohol pendenciero. Sé que *(ser)* .....(12)..... altos, de melena rojiza. Dinamarca o Irlanda, de las que nunca *(oír)* .....(13)..... hablar, andaban por la sangre de esos criollos. El barrio los *(temer)* .....(14)..... a los Colorados; no es imposible que *(deber)* .....(15)..... alguna muerte.

Los Nilsen *(ser)* .....(16)..... calaveras, pero sus episodios amorosos *(ser)* .....(17)..... hasta entonces de zaguán o mala casa. No faltaron, pues, comentarios cuando Cristián *(llevar)* .....(18)..... a vivir con él a Juliana Burgos. Es verdad que *(ganar)* .....(19)..... así una sirvienta, pero no es menos cierto que la *(colmar)* .....(20)..... de horrendas baratijas y que la *(lucir)* .....(21)..... en las fiestas.

Eduardo los *(acompañar)* .....(22)..... al principio. Después *(emprender)* .....(23)..... un viaje a Arrecifes por no sé qué negocio; a su vuelta *(llevar)* .....(24)..... a la casa a una muchacha, que *(levantar)* .....(25)..... por el camino, a los pocos días la *(echar)* .....(26)..... y *(hacerse)* .....(27)..... más hosco; *(emborracharse)* .....(28)..... solo en el almacén y no *(relacionarse)* .....(29)..... con nadie. *(Estar)* .....(30)..... enamorado de la mujer de Cristián. El barrio, que tal vez lo *(saber)* .....(31)..... antes que él, *(prever)* .....(32)..... con alevosa alegría la rivalidad latente de los hermanos.

Una noche, al volver tarde de la esquina, Eduardo *(ver)* .....(33)..... el caballo de Cristián atado al palenque. En el patio, el mayor estaba esperándolo con sus mejores ropas. La mujer *(ir)* .....(34)..... y *(venir)* .....(35)..... con el mate en la mano, Cristián le dijo a Eduardo:

—Yo me voy a una fiesta en casa de Farías. Ahí la tienes a la Juliana; si la quieres, úsala.

El tono *(ser)* .....(36)..... entre mandón y cordial. Eduardo *(quedarse)* .....(37)..... un tiempo mirándolo; no *(saber)* .....(38)..... qué hacer. Cristián *(levantarse)* .....(39)....., *(despedirse)* .....(40)..... de Eduardo, no de Juliana, que *(ser)* .....(41)..... una cosa, *(montar)* .....(42)..... a caballo y *(irse)* .....(43)..... al trote, sin apuro.

Desde aquella noche la *(compartir)* .....(44)..... . Nadie *(saber)* .....(45)..... los pormenores de esa sórdida unión, que ultrajaba las decencias del arrabal. El arreglo *(andar)* .....(46)..... bien por unas semanas, pero no *(poder)* .....(47)..... durar.

Borges, J. L.: *La intrusa* (adaptado),
Círculo de Lectores, Madrid.

Algo más

Formación del diminutivo

Los diminutivos se forman quitando la última vocal (si es que la palabra termina en **a** u **o**) y añadiendo las siguientes terminaciones:

▶ **-ito, -ita, -itos, -itas:** la mayoría de las palabras y todos los nombres propios: *Juan = Juanito.*

▶ **-cito, -cita, -citos, -citas:** palabras terminadas en **-r, -n** y **-e**: *calor = calorcito.*

▶ **-ecito, -ecita, -ecitos, -ecitas:**
   ▶ Palabras monosílabas terminadas en consonante: *pez = pececito.*
   ▶ Palabras bisílabas con los diptongos *ei, ie, ue* en la primera sílaba o *ia, io, ua* en la segunda: *puerta = puertecita.*
   Excepciones: *cielo = cielito* (no *cielecito*); *agua = agüita (no agüicita).*

▶ **-cecito, -cecita, -cecitos, -cecitas:** palabras monosílabas terminadas en vocal: *pie = piececito.*

En algunas zonas, en vez de las terminaciones *-ito, -cito, -ecito, -cecito,* utilizan *-illo,-cillo, -ecillo, -cecillo* o *-ico, -cico, -ecico, -cecico,* pero no siempre son sustituibles porque con *-illo* significan otra cosa:

mesa	(mesita)	mesilla
cama	(camita)	camilla
máquina	(maquinita)	maquinilla
manzana	(manzanita)	manzanilla
casa	(casita)	casilla
espina	(espinita)	espinilla
sombra	(sombrita)	sombrilla
pera	(perita)	perilla
cepo	(cepito)	cepillo
cabeza	(cabecita)	cabecilla
cera	(cerita)	cerilla

6. ¿Cómo crees que hablaría esta madre a su bebé?

(Luis) ....(1)........................., *(corazón)* ....(2)........................., ¿por qué estás llorando? ¿No estarás *(malo)* ....(3)........................? Estate *(quieto)* ....(4)......................... y no muevas tanto las *(piernas)* ....(5)......................... y los *(brazos)* ....(6)......................... para que pueda cambiarte de pañal.

Así, muy bien, *(pequeño)* ....(7)......................... mío. Luego te voy a dar un *(puré)* ....(8)......................... con sus *(verduras)* ....(9)......................... y su *(pescado)* ....(10)......................... . A ver si te gusta y te lo comes todo, *(todo)* ....(11)........................., y te haces un niño grande como tu *(hermano)* ....(12)......................... *(Pedro)* ....(13)......................... .

Despúes de comer te llevaré al parque en tu *(coche)* ....(14)......................... y vamos a dar de comer a los *(patos)* ....(15)......................... y a las *(palomas)* ....(16)......................... y pasaremos por casa de la *(abuela)* ....(17)........................., que tiene muchas ganas de verte la *(pobre)* ....(18)......................... y no puede salir de casa *(sola)* ....(19)......................... .

7. Señala la opción correcta según el contexto.

1 ▶ Las gafas están en mi cuarto, en el cajón de la *mesita / mesilla*.

2 ▶ Quiero comprar una *mesita / mesilla* para colocar la tele encima.

3 ▶ Esta crema promete hace desaparecer las *espinillas / espinitas* de la piel en una semana.

4 ▶ Eres como una *espinilla / espinita* que se me ha clavado en el corazón.

5 ▶ Qué bien se está aquí a la *sombrilla / sombrita*.

6 ▶ Nunca voy a la playa sin *sombrilla / sombrita*. Me quemo enseguida.

7 ▶ Esa chica tiene la *cabecilla / cabecita* llena de pájaros.

8 ▶ La policía ha detenido al *cabecilla / cabecita* de la manifestación.

9 ▶ ¿Quieres que te pele una *manzanilla / manzanita* de postre?

10 ▶ Una *manzanilla / manzanita* despúes de comer ayuda a hacer la digestión.

11 ▶ Debería dejarse *perita / perilla*, está más atractivo.

12 ▶ ¡Es una *perita / perilla* en dulce!

13 ▶ ¡Eso es, pequeñín! Acuéstate en tu *camita / camilla*.

14 ▶ Se lo tuvieron que llevar en *camita / camilla* porque no podía incorporarse.

Expresión e interacción
Escrita

EL CIERRE Y LOS COMPLEMENTOS

Se compone de: *despedida, antefirma* y *firma, anexos* y *posdata*.

▶ **Despedida:**

  ▶ Debe ser respetuosa y concordar en género y número con el saludo.

  ▶ Sin verbo y con coma (,) al final: Atentamente, Cordialmente.

  ▶ Verbo en primera persona y con punto (.) al final: Nos despedimos atentamente.

  ▶ Con verbo en tercera persona y nada al final: Les saluda atentamente.

▶ **Firma y antefirma:** junto con la firma se suele poner el cargo y/o nombre de la empresa (no se necesita en caso de cartas personales).

  Algunas veces la persona que escribe la carta no es la misma persona que la firma porque no está en ese momento. En este caso se escribirán las siguientes abreviaturas:

  ▶ P.O. (por orden)   ▶ P.A. (por autorización)

Fdo.: Julio Pérez

D. Miguel A. García
Director de Ventas

Nuria Bes
Encargada de Dirección

¡ACCIÓN!

En respuesta a su anuncio...

Escribe una carta de presentación.

▶ En un anuncio de prensa has visto que una conocida agencia de traductores ofrece un puesto de trabajo a jóvenes de edades comprendidas entre los 25 y 35 años. Tú hablas varias lenguas y te interesa este puesto. En el tono y estilo adecuados, escribe una carta al jefe de personal en la que deberás:

▶ Presentarte.

▶ Hacer referencia al anuncio donde has visto la oferta.

▶ Expresar tu interés por el puesto de trabajo.

▶ Hablar de tu formación y adecuación al puesto que ofrecen.

▶ Comunicar que adjuntas un currículum vitae y solicitas una entrevista.

Referirse al anuncio:
En respuesta al anuncio aparecido en...
en el que se ofrece...
Con relación al anuncio aparecido en...
en el que buscan...
Con referencia al anuncio publicado el día... en... en el que se solicita...

Hablar de la experiencia y formación:
Soy titulado/licenciado/doctor en...
Tengo el título de...
Por mi formación y experiencia profesional...
Tengo una gran experiencia/formación en...
Poseo conocimientos de...

Expresar interés:
Estoy interesado en...
Tengo un gran interés en...
Me interesaría...

Solicitar una entrevista:
Le agradecería la oportunidad de participar en...
Quedo a su disposición para...
Estoy a su disposición para concertar...

Expresión e interacción *Escrita*

El encanto de la música

Escribe un artículo para una revista especializada.

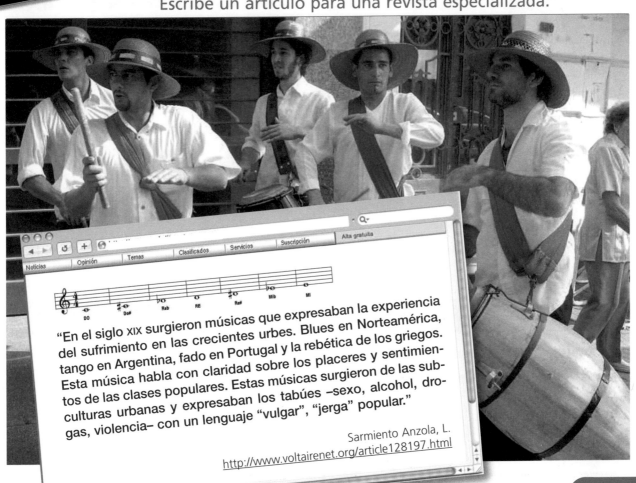

"En el siglo XIX surgieron músicas que expresaban la experiencia del sufrimiento en las crecientes urbes. Blues en Norteamérica, tango en Argentina, fado en Portugal y la rebética de los griegos. Esta música habla con claridad sobre los placeres y sentimientos de las clases populares. Estas músicas surgieron de las subculturas urbanas y expresaban los tabúes –sexo, alcohol, drogas, violencia– con un lenguaje "vulgar", "jerga" popular."

Sarmiento Anzola, L.
http://www.voltairenet.org/article128197.html

Recursos

▶ Escribe un artículo (150-200 palabras) para una revista musical y ponle un título. No olvides hacer referencia a:

- ▶ Los diferentes tipos de música y la función social que tienen (música folclórica, canciones infantiles, marchas militares, música clásica, ópera, etc.).
- ▶ La importancia de la música como expresión de los sentimientos.
- ▶ Lo que representa para los jóvenes la música (el rol de los ídolos, los macroconciertos, el rock duro...).
- ▶ Termina con una breve conclusión sobre la importancia de la música para el ser humano.

Comparar:
Muy diferente a, a diferencia de...
No se parece en nada a, no tiene nada que ver con...
Es incomparable...
No hay comparación posible con/entre...

Expresiones útiles:
Es indudable, es impensable, está clarísimo, probablemente...
En cambio, por el contrario...
Con todo y con eso...

Expresión e interacción *Oral*

La lengua nuestra *de cada día*

Cada oveja con su pareja

1. Relaciona las expresiones con su definición.

1 ▶ No se ganó Zamora en una hora.

2 ▶ De sopetón.

3 ▶ No se hizo la miel para la boca del asno.

4 ▶ Darse humos.

5 ▶ Traer cola.

a ▶ Brusca, improvisadamente.

b ▶ Es necedad ofrecer cosas valiosas al que no sabe apreciarlas.

c ▶ Hay que tener paciencia ante una obra de gran envergadura.

d ▶ Tener graves consecuencias.

e ▶ Presumir o jactarse de algo.

¿A que no sabes?

2. Completa las frases con la expresión adecuada.

a. No tenía que haber insistido tanto delante de Juan. Ya sé que él siempre se sale con la suya y, después del malentendido de hoy, ya verás cómo el asunto ....

b. ¡Es increíble! Aún no me explico lo que ha pasado. Estábamos todos charlando y disfrutando de la fiesta cuando, en mitad de la conversación, Isabel ...., se levantó y, sin decir palabra, se fue. Nos quedamos todos boquiabiertos.

c. Tenemos entre manos un asunto que parece "ir para largo". Ya le he dicho a mi compañero que ....
.... y que tenga paciencia.

d. ¡Parece mentira que haya gente así! Ayer estuve con Ignacio y, como hacía tiempo que no nos veíamos, empezó a hablarme sobre su nueva responsabilidad en el trabajo, etc., en fin, que no dejó de ....
durante un buen rato.

En otros lugares

3. Has tenido un problema con tu jefe y estás muy enfadado. Envía un correo electrónico a un amigo contándole brevemente lo que ha sucedido. Utiliza las siguientes expresiones:

■ De sopetón.

■ No se hizo la miel para la boca del asno.

■ Darse humos.

■ Traer cola.

Expresión e interacción *Oral*

Hablando **se entiende la gente**

Algo más que monos, mucho menos que humanos

Lee la siguiente información.

Proyecto Gran Simio

"El grupo parlamentario socialista está dispuesto a apadrinar el Proyecto Gran Simio, que aboga por una declaración de las Naciones Unidas sobre los derechos de los grandes simios."

"El proyecto, más allá de la protección de una especie animal, pretende su equiparación con los humanos. El argumento principal es que los grandes monos comparten con los humanos más del 98% del ADN, expresan en su rostro emociones de miedo, ansiedad o felicidad, son capaces de crear herramientas rudimentarias, y muestran una limitada capacidad de aprendizaje y comunicación.

"El Proyecto aboga por la inclusión de los grandes monos en un comunidad de iguales, integrada por humanos, gorilas, orangutanes y chimpancés, y regida por unos principios morales básicos de obligado cumplimiento, mediante el desarrollo de una legislación adecuada."

Pestaña, Á.: *El País* (adaptado).

Prepara tu intervención. ▶ Reflexiona sobre las siguientes cuestiones:

▶ ¿Qué te parece la afirmación sobre la equiparación entre los grandes simios y los humanos?

▶ ¿Crees que los grandes simios podrían convivir con los humamos? En caso afirmativo explica en qué condiciones y cómo sería posible. En caso negativo justifica tus argumentos.

Grandes simios y humanos: **¿posible convivencia?**

¡ACCIÓN!

Exposición oral

Prepara una exposición de unos cinco minutos sobre la conveniencia de otorgar derechos a los animales; su equiparación con el ser humano y su utilización en experimentos; el papel de las organizaciones de defensa de los animales, las leyes que los protegen, etc.

FORMAS NO PERSONALES DEL VERBO

Las formas no personales del verbo, además, pueden formar parte de las formas verbales compuestas y perifrásticas y pueden tener diferentes valores:

▶ **INFINITIVO:** es asimilable a un sustantivo y puede llevar complementos.
Simple: **-ar, -er, -ir** / Compuesto: **haber + participio.**

Funciones:

- ▶ Sujeto de una oración: *Hacer ejercicio es sano.*
- ▶ Atributo de una oración: *Querer es poder.*
- ▶ Complemento del verbo: *Se fue sin decir adiós.*
- ▶ Complemento de un adjetivo: *Fácil de comprender.*

Valores:

- ▶ Puede reemplazar al imperativo: *¡A dormir ahora mismo!*
- ▶ Puede reemplazar al indicativo: *¿Qué haces? – Ver la tele.*
- ▶ Puede hacer de sustantivo: *El comer rápido no es sano.*
- ▶ Con preposiciones puede tener estos otros valores:

    Condicional: en [el] caso de, a condición de, en el supuesto de, con tal de, de...
    - ■ *En caso de llegar nosotras primero, te esperaríamos.*
    - ■ *Me prestó el coche a condición de dejarle el depósito de gasolina lleno.*
    - ■ *En el supuesto de cambiar de dirección, comuníquennoslo.*

    Temporal: hasta, + después de / tras, antes de, al...
    - ■ *Insistió hasta convencerlo.*
    - ■ *Toma la pastilla después de haber comido.*
    - ■ *No olvides cerrar la llave del gas antes de salir.*

    Concesivo: a pesar de, con...
    - ■ *Fue a la boda, a pesar de no haber sido invitado.*
    - ■ *Con ser el mayor, es el más irresponsable de los hermanos.*

    Consecutivo: hasta.
    - ■ *Siguió hablando hasta aburrir a la audiencia.*

    Causal: por, de (+ adverbio), a fuerza de...
    - ■ *Se arruinó por no seguir los consejos de su socio.*
    - ■ *Se cansó de tanto bailar.*
    - ■ *Lo consiguió a fuerza de experimentar una y otra vez.*

    Final: a, para, por, a fin de, con la intención de, con vistas a, con el objeto de, en orden a...
    - ■ *Se lo preguntaré directamente para saber lo que pasó.*

Para consolidar y ampliar tus conocimientos te recomendamos...

Diccionario
práctico de
gramática
800 fichas de uso correcto del español

edelsa

▶ **GERUNDIO:** es asimilable a un adverbio.
Simple: *-ando, -iendo* / Compuesto: *habiendo* + **participio**

Valores:

Condicional.
- ■ *Comportándote con naturalidad, te irá mucho mejor en la entrevista.*

Temporal.
- ■ *Viendo que la puerta estaba abierta, entré en su despacho.*

gerundio simple (acción simultánea)
- ■ *Mi padre murió teniendo yo sólo once años.*

gerundio compuesto (acción anterior)
- ■ *Habiendo terminado la traducción, sentí un gran alivio.*

Concesivo: *aun / ni,… y todo.*
- ■ *Es difícil aprobar esta asignatura, aun/ni estudiando día y noche.*
- ■ *Cojeando y todo, participó en la manifestación.*

Modal.
- ■ *Iba por la calle contoneándose de una forma exagerada.*

Causal.
- ■ *Viendo que no contestaba, dejé de insistir.*

▶ **PARTICIPIO:** es asimilable a un adjetivo. Varía en género y número.
Simple: *-ado, -ido* / Compuesto: *haber* + **participio**
Con *haber* forma los tiempos compuestos: *he dicho.*
Con *ser* forma la voz pasiva: *fue hecho.*

Funciones:
- ▶ Atributo con los verbos *ser* y *estar: Estoy cansado de estudiar.*
- ▶ Complemento del nombre: *Vendían coches usados.*

Valores:

Condicional.
- ■ *El problema, analizado con objetividad, no es tan grave.*

Temporal: *después de / una vez.*
- ■ *Acabada la misa, se dirigió a la sacristía.*
- ■ *Una vez vendida la casa, no nos ataba nada a aquel lugar.*

Concesivo: *aun.*
- ■ *Aun acabada la carrera con las mejores notas, no conseguía encontrar trabajo.*

Modal.
- ■ *Iba andando, metidas las manos en los bolsillos, por entre las callejuelas del puerto.*

Unidad 9

Comprensión *Lectora*

▶ **Octavio Paz:** *Itinerario.*

▶ **Más de cerca:** actividades y estrategias de control de la comprensión.

▶ **Enriquece tu léxico:** actividades y estrategias para ampliar el vocabulario.

Comprensión *Auditiva*

▶ **Texto informativo:** *Adicción a las nuevas tecnologías.*

▶ Actividades y estrategias de control de la comprensión.

Competencia *Gramatical*

Contenidos propios de la unidad

▶ Perífrasis verbales.

Contenidos generales

▶ Contraste *ser / estar.*

▶ Completa con las palabras y expresiones de la lista.

▶ Preposiciones.

▶ Tiempos y modos verbales.

Algo más

▶ Verbos de cambio.

Expresión e interacción *Escrita*

▶ **Escribir una carta** para expresar disgusto, quejarse, reclamar, protestar, advertir.

▶ **Exponer tu punto de vista.** El salario de toda la ciudadanía.

Expresión e interacción *Oral*

▶ **La lengua nuestra de cada día:** expresiones, refranes y frases hechas.

▶ **Hablando se entiende la gente:** Inmigrantes: subidos al carro del consumo.

▶ **Debate.**

▶ Perífrasis verbales.

Unidad
9

Octavio Paz

(1914-1998)

DATOS BIOGRÁFICOS

Poeta y ensayista mexicano. En 1937 asistió al Congreso de Escritores Antifascistas en Valencia, donde entró en contacto con los intelectuales de la República Española y con Pablo Neruda. En 1945 fue a París, donde conoció a André Breton y a Albert Camus. Tras viajar a la India y a Japón regresa a México, donde desarrolla una intensa labor literaria. En 1960 vuelve a París y en 1962 a la India como funcionario de la embajada de México. Tras la matanza del 2 de octubre de 1968, en Ciudad de México, renuncia a su puesto de embajador en la India, y en 1971 funda en México la revista *Plural*. Dos años más tarde deja *Plural* e inicia la revista *Vuelta*.

SU OBRA

Durante la década de 1950 publicó cuatro libros fundamentales: *El laberinto de la soledad*, *El arco y la lira*, *¿Águila o sol?* y *Libertad bajo palabra*. Publica, además, *Los hijos del limo* (1974), *Vuelta* (1975), que obtiene el Premio de la Crítica en España, y *El mono gramático*, poema en prosa. Durante los ochenta ven la luz *El ogro filantrópico*, *Sor Juana Inés de la Cruz o las trampas de la fe* y *Árbol adentro*. En 1963 obtiene el Gran Premio Internacional de Poesía. En 1990 recibe el Premio Nóbel de Literatura y publica *La otra voz*, *Poesía de fin de siglo*, *La llama doble* y *Amor y erotismo* (1993) y *Vislumbres de la India* (1995).

Itinerario

Durante milenios el continente americano vivió una vida aparte, ignorado e ignorante de otros pueblos y de otras civilizaciones. La expansión europea del siglo XVI rompió el aislamiento. La verdadera historia universal no comienza con los grandes imperios europeos y asiáticos, con Roma o con China, sino con las exploraciones de los españoles y portugueses. Desde entonces los mexicanos somos un fragmento de la historia del mundo. Mejor dicho: somos hijos de ese momento en que las distintas historias de los pueblos y las civilizaciones desembocan en la historia universal. El Descubrimiento de América inició la unificación del planeta. El acto que nos fundó tiene dos caras: la Conquista y la evangelización; nuestra relación con él es ambigua y contradictoria, como el acto mismo y sus dos emblemas: la espada y la cruz. No menos ambigua es nuestra relación frente a la civilización mesoamericana: su espectro habita nuestros sueños, pero ella reposa para siempre en el gran cementerio de las civilizaciones desaparecidas. Nuestra cuna fue un combate. El encuentro entre los españoles y los indios fue simultáneamente, para emplear la viva y pintoresca imagen del poeta Jáuregui, túmulo y tálamo.

Tal vez por influencia familiar desde la niñez me apasionó la historia de México. Mi abuelo, autor de novelas históricas según el gusto del siglo XIX, había reunido un buen número de libros sobre nuestro pasado. Un tema me interesó entre todos: el choque entre los pueblos y las civilizaciones. Las naciones del antiguo México vivieron en guerra perpetua unas contra otras pero hasta la llegada de los españoles no se enfrentaron realmente con el otro, es decir, con una civilización distinta a la suya. Más tarde, ya en el período moderno, tuvimos encuentros violentos con los Estados Unidos y con la Francia del Segundo Imperio. Con España y los Estados Unidos nuestra relación ha

sido polémica y obsesiva. Cada pueblo tiene sus fantasmas; los nuestros han sido España y los Estados Unidos. El fantasma de España ha perdido cuerpo y su influencia política y económica se ha desvanecido. Su presencia es psicológica: verdadero fantasma, recorre nuestra memoria y enciende nuestra imaginación. Los Estados Unidos sí son una realidad pero una realidad tan vasta y poderosa que colinda con el mito y, para muchos, con la obsesión.

La querella entre hispanistas y antihispanistas es un capítulo de la historia intelectual de los mexicanos. También de su historia política y sentimental. El bando de los antihispanistas no es homogéneo: unos son adoradores de las culturas mesoamericanas y condenan a la Conquista como un genocidio; otros, descendientes de los liberales del siglo XIX, profesan un igual desdén a las dos tradiciones: la índica y la española, ambas obstáculos en el camino hacia la modernidad.

El antiespañolismo de mis familiares era de orden histórico y político, no literario. Entre los libros de mi abuelo estaban los de nuestros clásicos. Además, él admiraba a los liberales españoles del siglo pasado. Mi adolescencia y mi juventud coincidieron con el fin de la Monarquía y los primeros años de la República, un período de verdadero esplendor de las letras españolas. La lectura de los grandes escritores y poetas de esos años acabó por reconciliarme con España. Me sentí parte de la tradición pero no de una manera pasiva sino activa y, a ratos, polémica. Descubrí que la literatura escrita por nosotros, los hispanoamericanos, es la otra cara de la tradición hispánica. Nuestra literatura comenzó por ser un afluente de la española pero hoy es un río poderoso. Cervantes, Quevedo y Lope se reconocerían en nuestros autores. La disputa entre hispanistas y antihispanistas me pareció un pleito anacrónico y estéril. La guerra civil española, un poco más tarde, cerró para siempre el debate. Al menos para mí y para muchos como yo.

Paz, O.: *Itinerario,* (adaptado),
Seix Barral, Barcelona.

1. Señala si es verdadero (V) o falso (F) según el texto.

V F

1. Las exploraciones de españoles y portugueses de los grandes imperios europeos condujeron al inicio de la verdadera historia universal.

2. Según Octavio Paz las dos caras del acto fundacional de la nación mexicana producen en su pueblo una ambigüedad intrínseca a la contradicción que dicho acto conlleva.

3. La cultura mexicana es el resultado de un choque de civilizaciones.

4. La lectura de los grandes escritores españoles le hizo sentir a Octavio Paz que pertenecían a una misma tradición cultural.

2. Elige la opción correcta.

1. Antes del Descubrimiento de América...
   a. los pueblos americanos se ignoraban entre sí.
   b. los grandes imperios europeos y asiáticos ya habían establecido contactos con las tierras americanas.
   c. las civilizaciones europeas y americanas se ignoraban mutuamente.

2. El México anterior a la conquista se diferencia del posterior en que...
   a. sus naciones no se enfrentaban unas con otras.
   b. sus enfrentamientos fueron más violentos después.
   c. se enfrentaron a una civilización realmente distinta a la suya.

3. Los antihispanistas mexicanos...
   a. detestan siempre la tradición española y admiran la indígena.
   b. no encarnan la única corriente ideológica en el México actual.
   c. creen que los descendientes de españoles proceden de los liberales del siglo XIX.

3. Comentario.

Descubridores

Extrae las ideas principales del texto y escribe un párrafo de cinco líneas comentando si coinciden con la idea que tenías del Descubrimiento antes de leerlo.

1. Relaciona las palabras del texto con sus sinónimos.

1.	ambiguo *l*	**a.**	tumba
2.	reconciliar *K*	**b.**	sincrónico
3.	ignorar *j*	**c.**	extender
4.	espectro *h*	**d.**	lecho, cama
5.	querella *r*	**e.**	colisión
6.	perpetuo *i*	**f.**	partido, facción
7.	tálamo *d*	**g.**	necrópolis
8.	desdén *p*	**h.**	fantasma
9.	emblema *m*	**i.**	eterno
10.	expandir *c*	**j.**	desconocer
11.	homogéneo *s*	**k.**	perdonar
12.	bando *f*	**l.**	impreciso, vago
13.	desvanecerse *n*	**m.**	símbolo
14.	túmulo *a*	**n.**	disiparse
15.	colindar *q*	**ñ.**	extenso, inmenso
16.	vasto *ñ*	**o.**	manía
17.	obsesión *o*	**p.**	desaire, desprecio
18.	cementerio *g*	**q.**	lindar
19.	simultáneo *b*	**r.**	disputa, riña
20.	choque *e*	**s.**	uniforme

2. Encuentra el antónimo.

1.	ignorar *d*	**a.**	pequeño
2.	fragmento *i*	**b.**	despreciar
3.	reconciliar *e*	**c.**	semejante
4.	vasto *a*	**d.**	conocer
5.	desdén *j*	**e.**	enemistar
6.	distinto *c*	**f.**	regañar
7.	unificar *h*	**g.**	desdeñar
8.	adorar *b*	**h.**	desunir
9.	admirar *g*	**i.**	totalidad
10.	reconciliar *f*	**j.**	aprecio

3. Escribe una breve historia (máximo cinco líneas) a partir de los supuestos que se te dan. Tienes que utilizar como mínimo cinco antónimos.

Juan y Pablo se habían conocido en el colegio. Rompieron su amistad hace tiempo. La causa fue Margarita, de la que los dos estaban enamorados.

4. Completa las frases con las palabras del vocabulario. Haz las transformaciones necesarias.

vasto perpetuo tálamo ignorar homogéneo	simultáneo querella túmulo expansivo espectro	obsesión desvanecerse colindar desdén desembocar	emblema ambiguo cementerio reconciliar choque

1 ▶ Castilla es una ...*vasta*............... llanura donde el cielo y la tierra se besan en el horizonte.

2 ▶ Las ...*querellas*..... entre los partidos políticos son habituales, forman parte de su táctica.

3 ▶ No podemos ...*ignorar*.......... que el derroche de agua acarreará serios problemas.

4 ▶ Le condenaron a cadena ...*perpetua*.......... por el asesinato de su novia.

5 ▶ Tiene una actitud ....*ambigua*.... cuando se trata de definirse políticamente; no quiere comprometerse con nada ni con nadie.

6 ▶ Muchos problemas de las parejas se resuelven en el ...*tálamo*....., en la intimidad de la alcoba.

7 ▶ Mezclamos todos los ingredientes bien hasta conseguir una masa ...*homogénea*.

8 ▶ Para dedicarse a la traducción *simultánea* no basta con conocer bien la lengua, hay que tener, además de formación adecuada, unas capacidades específicas.

9 ▶ Cuando se levantaba a medianoche y empezaba a vagar por la casa, parecía un ...*espectro*....... que asustaba hasta al más valiente.

10 ▶ Vio cómo *se desvanecían / se desvanecieron* una tras otra todas sus esperanzas de llegar a casarse un día con ella.

11 ▶ La balanza es el ......*emblema*...de la justicia.

12 ▶ A causa de la onda ...*expansiva*.... que produjo la bomba, se rompieron todos los cristales del vecindario.

13 ▶ Su mayor ...*obsesión*........ era emigrar a América y hacer fortuna en aquella tierra.

14 ▶ El río Tajo, el mayor de la península Ibérica, *desemboca*... en el Atlántico, concretamente en Lisboa.

15 ▶ Ambos cónyuges *se reconciliaron*............ antes de personarse delante del abogado que tramitaba su separación.

16 ▶ Los hombres primitivos, cuando enterraban a sus muertos, hacían ...*túmulos*...... para señalizar el lugar.

17 ▶ Tal era el ....*desdén*......... que sentían, que acabaron por no dirigirse la palabra, a pesar de trabajar en la misma oficina.

18 ▶ Nuestra finca *colindaba*..... con la suya, pero en un principio eran solo una, hasta que el abuelo murió y se dividió la hacienda.

19 ▶ En España existe la costumbre de llevar flores al *cementerio*...... el día primero de noviembre.

20 ▶ Los accidentes de tráfico con peores consecuencias son aquellos en los que el ....*choque*... es frontal.

5. ¿Cuál sería el sustantivo de los siguientes verbos que aparecen en el texto de Octavio Paz? ¿Son masculinos o femeninos?

- desvanecerse: *desvanecimiento*
- conocer: *conocimiento*
- adorar: *adoración*
- ignorar: *ignorancia*
- enemistar: *enemistad*
- admirar: *admiración*
- despreciar: *desprecio*
- escasear: *escasez*
- reconciliar: *reconciliación*

Comprensión *Auditiva*

► Adicción a las nuevas tecnologías

1. Después de escuchar el texto *Los "emails" y los "SMS" reducen más la concentración que la marihuana*, di si las siguientes afirmaciones son verdaderas (V) o falsas (F).

	V	F
1 ▶ El uso exagerado del teléfono móvil empeora la capacidad intelectual de las personas.	☑	☐
2 ▶ El hecho de recibir mensajes e información constantemente puede provocar pérdida de concentración.	☑	☐
3 ▶ La mayoría de las personas que usan los móviles comprueba sus mensajes fuera de su trabajo.	☐	☑
4 ▶ No toda la información que se recibe en los móviles o en el correo electrónico es de buena calidad.	☑	☐
5 ▶ Las secretarias pierden más tiempo hablando por teléfono que revisando el correo electrónico.	☐	☑

2. ¿Lo has entendido bien? Responde a las preguntas.

1 ▶ ¿Cuáles son las consecuencias de vivir pendiente del teléfono móvil o del correo electrónico? Escribe dos.

Produce estrés, daña las relaciones, empobrece el lenguaje, reduce el cociente intelectual

2 ▶ ¿A qué sexo afecta más?

Al masculino.

3 ▶ ¿Qué es la *infomanía*?

aficción a los nuevos medios de comunicación

4 ▶ ¿A qué conclusiones ha llegado Glenn Wilson?

trabajar con la barrera informática que supone el constante flujo de información reduce la capacidad de concentración de la misma forma que lo haría una noche sin dormir

5 ▶ ¿En qué malgastan el tiempo muchos empleados de puestos relevantes?

Estos empleados pierden el tiempo en averiguar el contenido de los mensajes que reciben incompletos o son erróneos

Competencia
Gramatical

1. Completa las siguientes frases con una perífrasis verbal utilizando la mayor variedad posible.

1 ▶ Seguramente queda algo de comida en la nevera. - .... algo de comida en la nevera.

2 ▶ Finalmente, el edificio se hundió. - El edificio ....

3 ▶ He de escribir una reseña de este libro. - .... una reseña de este libro.

4 ▶ Hacía mucho tiempo que lo buscaba. - .... mucho tiempo ....

5 ▶ Se han marchado hace poco. - ....

6 ▶ Te he dicho muchas veces que no fumes en el dormitorio. - .... que no fumes en el dormitorio.

7 ▶ De repente, las palomas empezaron a volar. - De repente, las palomas ....

8 ▶ La niña empezó a cantar alegremente. - La niña .... alegremente.

9 ▶ Ese libro no se ha escrito todavía. - Ese libro todavía ....

10 ▶ Al final lo comprendió. - ....

11 ▶ Dijo más o menos que estaba loca. - .... que estaba loca.

12 ▶ Se enfadó mucho y al final se fue. - Se enfadó mucho y ....

13 ▶ La casa todavía huele a pescado. - La casa .... a pescado.

14 ▶ Hace ya un mes que no fuma. - .... un mes sin ....

15 ▶ Últimamente tiene un interés inexplicable por la retórica. - Últimamente .... la retórica.

16 ▶ Ya he puesto la mesa. - Ya .... la mesa.

17 ▶ Nos faltó muy poco para tener un accidente. - .... tener un accidente.

18 ▶ Me dan ganas de dejarlo todo y marcharme. - .... dejarlo todo y marcharme.

19 ▶ Corre, que el tren va a salir en cualquier momento. - Corre, que el tren ....

20 ▶ Si aceptan colaborar será mejor para todos. - Si aceptan colaborar todos ....

2. Piensa por un momento en el día de ayer y escribe lo que hiciste. Utiliza las siguientes perífrasis:
empezar a; estar + *gerundio*; seguir + *gerundio*; estar para; ponerse a; romper a; dejar + *participio*; salir + *gerundio*; llegar a + *infinitivo*; deber + *infinitivo*.

3. ¿*Ser* o *estar*? Completa las frases según convenga.

"Pienso, luego (1) .....*soy*....... ", dijo el hombre famoso. Los árboles de mi jardín (2) .....*son*............... , pero no creo que piensen, con lo que se demuestra que el señor Renato no (3) .....*está*........... en su sano juicio y que lo mismo sucede con otros seres: mi suegro por ejemplo: (4) ....*es*......... y no piensa, o mi editor, que piensa y no (5) .....*es*......... . Y si lo ponemos al revés, tampoco (6) ....es cierto. No existo porque pienso ni pienso porque existo. Pensar (7) .....*es*..... cierto, existir (8) .....*es*............ un mito. Yo no existo, sobrevivo, vivir –lo que se dice vivir– solo los que no piensan. Los que se ponen a pensar no viven. La injusticia

157

(9) ......*es*............ demasiado evidente. Bastaría pensar para suicidarse. No; don Descartes: vivo, luego no pienso, si pensara no viviría. Hasta se podría hacer un bonito soneto: Pienso, luego no vivo, si viviera no pensaría, señor... etc., etc. Si para vivir se necesitara pensar, (10) ....*estamos*.... lucidos. Pero, en fin, si ustedes (11) ...*están*...... convencidos de que así (12) ......*es*........, (13) ....*soy*........ inocente, totalmente inocente, ya que no pienso ni quiero pensar. Luego si no pienso no ...(14).*soy*.......... y si no ...(15)..................., ¿cómo voy a (16) ....*ser*........ responsable de esa muerte?

Aub, Max: "Dos crímenes barrocos"
Grandes minicuentos fantásticos (Selección de B. Arias García),
Alfaguara, Madrid.

4. Completa el texto con las palabras que te damos a continuación.

El bibliometro ya funciona en cuatro estaciones del suburbano

aunque
porque
ya
desde que
tantos
antes de
una
sin embargo
cada (x2)
desde
otros
más

Los lectores viajeros del suburbano (1) ....*ya*......... tienen los libros más cerca. Con dos años de retraso, las estaciones de metro de Canal (desde el 17 de agosto), Aluche (24 de agosto), Moncloa (6 de septiembre) y Nuevos Ministerios (finales de julio) ya tienen su propia biblioteca. El alcalde de Madrid, Alberto Ruiz-Gallardón, inauguró ayer oficialmente el Bibliometro, (2) ......*una*......... de sus promesas electorales, (3) ..*aunque*...... lleva funcionando en pruebas (4) ......*desde*...... el 27 de julio.

Un portavoz municipal aseguró que (5) *antes de*...... final de año los 500 títulos y 3.000 volúmenes que ofrece (6) .....*cada*.......... estación estarán disponibles en cuatro estaciones (7) ......*más*.......: Puerta de Arganda, Sierra de Guadalupe, Mar de Cristal y Puerta del Sur.

(8) *Sin embargo*, los lectores tendrán que ajustarse a los horarios de tarde (9) ..*porque*...... el Bibliometro solo estará abierto de dos a ocho de la tarde de lunes a viernes. Los libros se prestan, de forma gratuita, por quince días, con posibilidad de renovarlos (10) .....*otros*..... quince. Los despistados se quedarán sin derecho a préstamo (11) ...*tantos*.. días como los que tarden en devolver el libro.

Para consultar los títulos disponibles en (12) *cada*...... módulo se han puesto pantallas táctiles que permiten realizar una búsqueda por autor, género o título e incluye libros recomendados. (13) *desde que*.... se puso en marcha en Nuevos Ministerios, a finales de julio, se han prestado ya 3.252 libros y se ha expedido el carné a 3.065 usuarios. También pueden usar su servicio de préstamo todos los socios de la red de bibliotecas públicas de la región.

El País.

5. ¿Qué preposición falta?

1 ▶ Entramos ....*en*.... el cine pensando que lo pasaríamos bien, pero la película resultó ser una birria.

2 ▶ En la oficina se cebaron ...*con*...... él porque era la persona más débil.

3 ▶ No sé ......*por*..... quién me has tomado, pero yo, desde luego, tonto no soy.

4 ▶ Siempre se ha dicho que el aceite de oliva es muy bueno ...*para*...... la salud.

5 ▶ Se esforzó mucho *por/en* hacerse un hueco en el mundo de la política.

6 ▶ Tienes que soportar ....*con*..... estoicismo tu enfermedad, por muy duro que te resulte.

7 ▶ Al muy egoísta no le gusta privarse ....*de*...... nada, aunque sabe que su familia vive una situación económica crítica.

8 ▶ Es como una hormiguita, fue comprando un piso tras otro, y ahora se ha hecho *con*........ cinco y ya puede vivir de las rentas.

9 ▶ Yo, gracias a Dios, no le debo nada ....*a*...... nadie, saldé mis deudas hace tiempo.

10 ▶ Su manía de jugar en el casino lo llevó ....*a*........ la ruina.

11 ▶ Está endeudado hasta las cejas, y todo ....*por*..... presumir de que tiene un coche Mercedes último modelo.

12 ▶ Siempre le ha gustado mucho hacer una excesiva ostentación ....*de*...... su inteligencia.

13 ▶ En los últimos tiempos hay muchas personas que son adictas ...*a*........ trabajar cada vez más, tal vez para evadirse de sus problemas.

14 ▶ Pienso mucho .....*en*...... él, a pesar de los años transcurridos no consigo olvidarlo.

15 ▶ Tiene una tendencia ....*a*........ la melancolía heredada de su madre.

6. *¿Indicativo o subjuntivo?* **Completa el texto con los tiempos y modos adecuados.**

Había una vez un tiempo en que los hombres no tenían alas

Así *(empezar)* .....(1)............... todos los cuentos que me *(contar)* .....(2)................... mi madre cuando yo *(ser)* .....(3)............... niña: remitiéndose a una época antigua y tal vez mítica en que los hombres no *(adquirir)* .....(4)............... aún la capacidad de volar. A mí me *(gustar)* .....(5)............... mucho oír aquellas historias, y le *(pedir)* .....(6)............... que las *(repetir)* .....(7)............... una y otra vez, aunque ya me las *(saber)* .....(8)............... de corrido: la de aquel héroe desalado que, a falta de alas propias, *(construirse)* .....(9)............... unas de cera y plumas de ave; pero, al volar cerca del sol, la cera *(derretirse)* .....(10)............... y él *(caer)* .....(11)............... al mar y *(ahogarse)* .....(12)............... O aquel otro que *(inventar)* .....(13)............... un artilugio de lona y madera para, arrojándose desde lo alto de las montañas, planear sobre los valles de su país aprovechando las corrientes de aire cálido: una cosa que hoy en día todos *(hacer)* .....(14)............... de forma intuitiva, pero que así contada me *(parecer)* .....(15)............... nueva e inusual, como si yo misma *(acabar)* .....(16)............... de descubrir un fenómeno tan cotidiano que hoy *(pasar, a nosotros)* .....(17)............... inadvertido.

Lo que jamás *(imaginar)* .....(18)............... oír en los cuentos de mi madre es que alguna vez yo misma llegaría a sentir como propia y cercana la carencia de alas.

Nunca *(tener)* .....(19)............... una gran vocación por la maternidad. Recuerdo que, de adolescente, muchas amigas mías *(hacer)* .....(20)............... planes ilusionadas con respecto al momento de convertirse en madres; *(parecer)* .....(21)............... que no *(tener)* .....(22)............... otra vocación en el mundo. [...]

Con el tiempo *(ir)* .....(23)............... comprendiendo que ser madre no *(ser)* .....(24)............... ninguna obligación. Por eso, al filo de los cuarenta años, felizmente casada y situada profesionalmente, *(renunciar)* .....(25)............... a tener hijos. [...] Entonces *(saber)* .....(26)............... que *(quedarse)* .....(27)............... embarazada.

Desde el principio, a mi marido y a mí nos *(extrañar)* .....(28)............... la solícita preocupación del médico, su insistencia en someterme a pruebas y análisis, en repetir algunos de ellos alegando que no *(ver)* .....(29)............... claros los resultados. *(Parecer)* .....(30)............... que algo no *(ir)* .....(31)............... bien y, en efecto, así *(ser)* .....(32)............... : *(estar)* .....(33)............... ya en el inicio del tercer mes de embarazo cuando el doctor nos *(convocar)* .....(34)............... en su despacho y nos *(dar)* .....(35)............... las dos noticias. La primera que el bebé *(ser)* .....(36)............... una niña; la segunda, que con toda probabilidad nacería sin alas.

Díaz-Mas, Paloma: *La niña sin alas* (adaptado),
Anagrama, Barcelona.

Competencia Gramatical

Verbos de cambio

▶ **PONERSE:** cambio involuntario y generalmente momentáneo (en el estado de ánimo, el aspecto físico o de salud). Así, si alguien se pone serio, está serio pero no es necesariamente serio. Aún así hay restricciones de uso. Por ejemplo, no decimos "ponerse aburrido", aunque digamos "aburrirse" y "estar aburrido".

  ▶ **+ adjetivos:** rojo, triste, enfermo, nervioso, serio, pesado, lívido, gordo, furioso, contento, insoportable, pálido, bueno, etc.

▶ **HACERSE:** cambio voluntario que implica evolución personal (ideología, profesión, etc.) o una transformación por lo general gradual, a excepción de "hacerse viejo". Así, si alguien se hace rico, es rico y no está rico.
En ocasiones no expresa cambio sino que significa "fingir": el loco, el muerto, el enfermo, etc.

  ▶ **+ adjetivos:** rico, mayor, español, republicano, famoso, budista, necesario, etc.

  ▶ **+ sustantivos:** monja, amigo, etc.

▶ **VOLVERSE:** cambio apreciable de cualidad más duradero que con "ponerse". A diferencia de "hacerse", normalmente se utiliza con rasgos de la personalidad. Así, si alguien se vuelve antipático, es ya antipático.

  ▶ **+ adjetivos:** loco, antipático, idiota, alcohólico, pesimista, insoportable, desconfiado, etc.

  ▶ **+ *artículo indeterminado* + sustantivos:** una persona muy egoísta.

▶ **QUEDAR(SE):** cambio después de un suceso o como resultado de un proceso. Así, si alguien se queda tranquilo, está tranquilo sin serlo necesariamente.

  ▶ **+ adjetivos:** pensativo, huérfano, calvo, cojo, embarazada, satisfecho, aislado, dormido, soltero, hecho polvo, asustado, conforme, sorprendido, anticuado, callado, quieto, solo, perplejo, etc.

  ▶ **+ locución adverbial:** a gusto, a solas.

▶ **CONVERTIRSE EN:** cambio radical de cualidad o de naturaleza. Representa una transformación importante, a veces debida a las circunstancias.

  ▶ **+ sustantivos:** una moda, una estrella, hielo, etc.

  ▶ **+ adjetivos sustantivados:** un indeseable, un desalmado, etc.

▶ **Llegar a ser:** cambio gradual que se considera un logro.

  ▶ **+ adjetivos:** famoso, conocido, etc.

  ▶ **+ sustantivos:** presidente, una figura, etc.

  ▶ **+ adjetivos sustantivados:** el primero de la clase, demasiado poderoso, etc.

Competencia*Gramatical*

7. ¿Qué verbo de cambio es el más adecuado?

Blancanieves era una princesita muy bonita, con un cutis blanco como la nieve, labios y mejillas rojos como la sangre, y cabellos negros como el azabache. Pero su padre, el rey, murió y Blancanieves (1)............................ huérfana.

Según (2)........................ mayor, Blancanieves (3)........................ aún más guapa y su madrastra, la reina, (4)........................ muy celosa, pues temía que Blancanieves (5)........................ aún más hermosa que ella.

El día que la reina consultó su espejo mágico y éste le respondió que Blancanieves (6)........................ la mujer más bella del reino, la reina (7)........................ roja de ira y llamó a uno de sus cazadores para que se deshiciera de la joven en el bosque. Cuando se adentraron en la espesura, el cazador se apiadó de ella y la dejó marchar.

Blancanieves vagó por el bosque hasta que encontró una casita con las luces encendidas. La puerta estaba abierta y en su interior había siete camitas. Blancanieves se tumbó en una de ellas y estaba tan cansada que (8)........................ profundamente dormida.

La casa pertenecía a siete enanitos, quienes (9)........................ atónitos al ver a la joven. Blancanieves les contó su historia y los enanitos, que tenían buen corazón, (10)........................ muy tristes al oírla y le ofrecieron quedarse a vivir con ellos. Blancanieves (11)........................ muy agradecida.

La reina pensaba que Blancanieves había muerto y decidió consultar su espejo mágico otra vez. Cuando éste le contestó que Blancanieves seguía siendo la más bella (12)........................ furiosa, lo estrelló contra el suelo y el espejo (13)........................ añicos, rompiéndose en mil pedazos.

La madrastra de Blancanieves decidió entonces disfrazarse y encontrar a la joven para matarla ella misma. Así, en apariencia (14)........................ una inofensiva viejecita, cogió una cesta de manzanas envenenadas y partió en su búsqueda...

8. ¿Conoces el final del cuento? Escríbelo utilizando para ello algunos verbos de cambio.

9. Ya conoces que *enrojecer = ponerse rojo* y *entristecerse = ponerse triste*. ¿Qué verbos podríamos utilizar para sustituir a los siguientes?

1 ▶ hacerse viejo ....*envejecer*....
2 ▶ ponerse pálido ....*palidecer*....
3 ▶ ponerse blando ....
4 ▶ hacerse rico ....
5 ▶ ponerse derecho ....
6 ▶ quedarse encogido ....
7 ▶ quedarse sordo ....
8 ▶ volverse loco ....
9 ▶ ponerse enfermo ....
10 ▶ quedarse sorprendido ....
11 ▶ quedarse tranquilo ....
12 ▶ ponerse peor ....

Expresión e interacción
Escrita

Antes de nada ▼

▶ **Anexo:** se incluyen aquí los documentos que acompañan a la carta y que ya han sido mencionados. En caso de adjuntar más de un anexo, se escribe en plural, "anexos".

Anexo: CV

Anexos: 1 catálogo
1 lista de precios

▶ **Posdata:** se utiliza cuando se quiere añadir algo o llamar la atención sobre algún punto en concreto. Hay varias posibilidades:

N.B. (nota bene)   **P.D.** (postdata)

P.S. (post scriptum)

¡ACCIÓN!

¡Esto es intolerable!

Quejarse y reclamar.

▶ Has llevado una prenda de vestir a una tintorería y al llegar a tu casa has comprobado con asombro que había encogido. Tú advertiste que tenía que ser limpiada en seco. En el tono y estilo adecuados, escribe una carta de protesta a la oficina del consumidor en la que deberás:

▶ Exponer detalladamente cuál es el problema.

▶ Expresar claramente tu disgusto.

▶ Pedir una indemnización por los perjuicios que este hecho te ha ocasionado.

▶ Advertir que si no hacen algo al respecto tomarás las medidas oportunas.

Recursos

Quejarse, reclamar, protestar:
Tendrían que...
No hay derecho...
No puede ser que...
¡Esto es intolerable!
¡Con lo que...!
¿Cómo es posible que...?

Advertir:
Le advierto que...
En caso de no...
Si no...
Le anticipo que...

Expresar disgusto:
No me parece bien...
Me incomoda...
Me molesta...
Me parece una falta de...
Parece mentira que...
Es indignante que...

¡ACCIÓN!

El salario de toda la ciudadanía

Expón tu punto de vista.

[...] "La renta básica es un ingreso pagado por el Estado a cada miembro de pleno derecho de la sociedad, incluso

a) si no quiere trabajar de forma remunerada
b) sin tomar en consideración si es rico o pobre [...]
c) sin importar con quién conviva."

"Existen dos resistencias: la primera es de naturaleza ética o normativa y puede expresarse con esta pregunta: ¿quien no quiera trabajar de forma remunerada en el mercado tiene derecho a percibir una asignación incondicional? Y la segunda es una resistencia intelectual exclusivamente técnica, según la cual podría tratarse de una bonita idea, pero completamente irrealizable, y también puede ser expuesta interrogativamente: ¿es la renta básica una quimera?"

Raventós, D.: Revista *Claves*, n.º 106.

"... el verdadero demócrata debe procurar que el pueblo no sea demasiado pobre, porque esta es la causa de que la democracia sea mala. Por tanto, hay que discurrir los medios de dar al pueblo una posición acomodada permanente."

[Aristóteles: *Política* 1320a]

▶ Expresa tu postura personal sobre la original e interesante propuesta de Raventós. Deberás escribir entre 150 y 200 palabras teniendo en cuenta los siguientes puntos:

▶ Aspectos positivos que conllevaría esta medida, por ejemplo: erradicación de la pobreza, aumento del trabajo voluntario no asalariado, etc., así como la parte negativa de la misma: alto coste para la economía de un país, pérdida de iniciativas personales, etc.

▶ La importancia del trabajo asalariado como opción, no como obligación.

▶ Posibilidades de llevar a cabo dicha medida.

▶ Termina con una breve conclusión.

Expresión e interacción *Oral*

La lengua nuestra *de cada día*

Cada oveja con su pareja

1. Relaciona las expresiones con su definición.

a ▶ Quedarse dormido.

b ▶ Hacer un buen negocio. Sacar provecho.

c ▶ Hablar muy mal de alguien o de algo.

d ▶ Provocar alboroto, escándalo o pelea.

e ▶ Decir algo con que se descubre el pensamiento o intenciones ocultas de otra persona. Acertar.

1 ▶ Hacer su agosto. *b*

2 ▶ Dar en el clavo. *e*

3 ▶ Armar/se la de Dios. *d*

4 ▶ Quedarse frito. *a*

5 ▶ Poner a alguien de hoja perejil. *c*

¿A que no sabes?

2. Completa las siguientes frases con las expresiones anteriores.

1 ▶ En la fiesta de María había personas de izquierdas y de derechas, empezaron a discutir de política y .... *Se armó la de Dios* .

2 ▶ La mayoría de los ciudadanos ...*pusieron de hoja de perejil*.............. al concejal cuando se enteraron de sus nuevas gestiones.

3 ▶ El regalo que le hiciste a Fernando le entusiasmó, era algo que llevaba buscando mucho tiempo, te felicito, porque ...*has dado en el clavo*...............

4 ▶ Con el auge del turismo en España en la década de los 70, muchos constructores ...*hicieron*....... ...*el agsto*................ y se enriquecieron de un día para otro.

5 ▶ Estábamos hablando de un tema interesantísimo cuando de pronto vimos que ......*se*...*habia queded*........*frit*................ . Debía de estar rendido.

En otros lugares

3. Como sabes, en español existen numerosas expresiones relacionadas con el vocabulario de la alimentación. Aquí tienes algunas más:

- Hacerse la boca agua.
- Importarle a alguien algo un comino/pimiento.
- Poner toda la carne en el asador.
- Ser un melón.

¿Qué crees que significan? ¿Hay alguna parecida en tu lengua?

Expresión e interacción *Oral*

Hablando se entiende la gente

Inmigrantes: Subidos al carro del consumo

Lee la siguiente información.

> *"Vinieron con poco o nada en los bolsillos, hoy copan el 25 por ciento de las hipotecas y solo el año pasado gastaron 1.500 millones de euros en móviles y vídeos y 4.000 en la cesta de la compra. Con estas cifras han pasado de ser un "problema" a un goloso pastel para el mercado. Es la otra cara de la inmigración, la de una nueva clase media." (...) "Convertidos en el objetivo del "marketing", para los publicistas ya no son inmigrantes, sino "los nuevos residentes". Y buscan rostros andinos para anunciar bancos o clubes de fútbol."*
>
> *El Semanal* de ABC, (adaptado).

Inmigrantes: nueva visión

Se forman grupos:

A: A favor de abrir las fronteras porque es positivo para la economía del país por diferentes causas: mayor oferta de mano de obra, aumento del índice de natalidad, potenciales consumidores, etc.

B: En contra de la inmigración no regularizada porque produce desestabilización social; el multirracismo crea problemas como el racismo, el multiculturalismo dificulta la integración de los emigrantes, etc.

C: Emigrantes de diferentes procedencias que defienden su derecho a vivir en el país donde su calidad de vida sea más óptima. Abogan por el derecho de libre circulación de los ciudadanos del mundo.

D: Cooperantes en diferentes ONG que entienden que los emigrantes busquen mejorar su calidad de vida trabajando en otros países.

Prepara tu intervención. ▶ Reflexiona sobre el tema de la inmigración en tu país y compáralo con España. Busca ejemplos para ilustrar cada situación.

Recursos

Debate

▶ Se organiza un debate con representantes de cada grupo (A, B, C y D) y un moderador. En el debate cada participante tendrá que:

  ▶ Defender su punto de vista ante los demás justificando sus argumentos y dando ejemplos.

  ▶ Pedir y ceder el turno de palabra.

▶ El moderador:

  ▶ Presentará a los miembros que participan en el debate y abrirá el mismo con una pregunta.

  ▶ Cederá el turno de palabra.

  ▶ Abrirá un turno de preguntas al resto de la clase.

  ▶ Hará un resumen de lo que se ha dicho antes de cerrar el debate.

Presentar a alguien: tenemos el placer de contar con..., me es grato presentarles a..., + tratamiento académico + nombre y apellidos.

Rebatir un punto de vista: comprendo que... sin embargo, es verdad que... pero...

Interrumpir: ¿Puedo hacer un inciso/una aclaración/añadir algo?, perdona que te interrumpa, pero..., etc.

Ceder el turno de palabra: es su turno, tiene usted la palabra, puede intervenir si lo desea, etc.

PERÍFRASIS VERBALES

▶ **PERÍFRASIS MODALES:** sirven para expresar la actitud del hablante ante la acción.

  ▶ **De obligación:** indican que el hablante interpreta la acción como una obligación o necesidad.

    ■ *Deber* + infinitivo: *Deberías dormir más.*

    ■ *Tener que* + infinitivo: *Tienes que presentarte a las 7 de la tarde.*

    ■ *Hay que* + infinitivo: *Hay que pedir permiso.*

    ■ *Haber de* + infinitivo: *Hemos de hacerlo entre todos.*

  ▶ **De posibilidad, duda o aproximación:** indican que el hablante interpreta la acción como una posibilidad, una duda, una probabilidad o una aproximación a la realidad.

    ■ *Poder* + infinitivo: *Puede llegar a tiempo.*

    ■ *Deber de* + infinitivo: *Debe de estar enfadado conmigo.*

    ■ *Venir a* + infinitivo / gerundio: *El artículo viene a decir lo que ya sabíamos.*
    El billete sencillo viene costando unos 2 euros.

▶ **PERÍFRASIS ASPECTUALES:** indican el modo en que es vista la acción por el hablante.

  ▶ **Aspecto imperfectivo:** muestra la acción sin ningún tipo de límites. Al hablante no le preocupa si la acción ha comenzado o si va a terminar en algún momento, lo que importa es ver la acción en su propia duración.

  Acción en desarrollo.

    ■ *Estar* + gerundio: *Está lloviendo todavía.*

    ■ *Andar* + gerundio: *Anda preguntando a todo el mundo lo mismo.*

    ■ *Seguir / continuar* + gerundio: *Siguió corriendo hasta llegar a la meta.*

    ■ *Seguir / continuar* + sin + infinitivo: *Sigue sin fumar.*

    ■ *Llevar* + gerundio: *Llevo media hora esperando el autobús.*

    ■ *Ir* + gerundio: *El enfermo va mejorando notablemente.*

Para consolidar y ampliar tus conocimientos te recomendamos...

▶ **Aspecto perfectivo:** marca claramente algún límite en el que la acción ha cambiado. Muestra que la acción ha comenzado en un momento, que está a punto de comenzar, que sucede en un momento único, que está para acabar, etc.

1. Intención de la acción.

■ *Estar a punto de* + infinitivo: *Estuvo a punto de ganar el premio.*

■ *Ir a* + infinitivo: *Voy a entrar en clase.*

■ *Estar para* + infinitivo: *Estaba para salir cuando me llamaste.*

■ *Estar por* + infinitivo: *Estoy por ir a verlo.*

2. Inicio de la acción.

■ *Echarse a* (*) + infinitivo: *Los niños se echaron a reír.*

■ *Romper a* + infinitivo: *Rompió a llorar en cuanto lo supo.*

■ *Ponerse a* + infinitivo: *Se puso a llover enseguida.*

■ *Empezar / comenzar a* + infinitivo: *Empezó a organizarlo todo en cuanto llegó.*

■ *Liarse a* + infinitivo: *En cuanto llegó se lió a limpiar la casa.*

■ *Meterse a* + infinitivo: *No os metáis a explicar lo que no sabéis.*

■ *Soltarse a* + infinitivo: *El niño se soltó a andar hace un mes escaso.*

3. Resultado de la acción.

■ *Estar* + participio: *El ascensor está arreglado.*

■ *Llevar* + participio: *Lleva publicados cinco libros.*

■ *Dejar* + participio: *Dejó hecho todo su trabajo.*

■ *Tener* + participio: *Tengo terminados todos los ejercicios.*

■ *Acabar por* + infinitivo: *Acabaron por marcharse.*

■ *Acabar* + gerundio: *Acabaron peleándose, como siempre.*

■ *Salir* (**) + gerundio: *Al final todos salimos ganando.*

■ *Ir* + participio: *Ya van publicados cinco libros de la colección.*

4. Repetición de la acción.

■ *Tener* + participio: *Te tengo dicho que no contestes así.*

■ *Volver a* + infinitivo: *Quizá vuelvan a intentarlo.*

■ *Venga a* (***) + infinitivo: *Yo hablando contigo y tú venga a ver la tele.*

5. Acción terminada.

■ *Dejar de* + infinitivo: *He dejado de fumar.*

■ *Acabar de* + infinitivo: *Acabo de enterarme.*

■ *Acabar por* + infinitivo: *Acabé por comprender lo que quería decirme*

■ *Llegar a* + infinitivo: *Llegó a tener una gran fortuna.*

■ *Dar por* + participio: *El presidente del consejo dio por finalizada la sesión.*

(*) *Echar a* suele usarse con verbos como *andar, correr, volar* y *echarse a* se usa con *reír, llorar, correr, volar, temblar.*
(**) Se utiliza solo con "ganando" y "perdiendo".
(***) Es invariable.

Comprensión *Lectora*

▶ **Amelia Valcárcel:** *Los desafíos del feminismo ante el siglo XXI.*

▶ **Más de cerca:** actividades y estrategias de control de la comprensión.

▶ **Enriquece tu léxico:** actividades y estrategias para ampliar el vocabulario.

Comprensión *Auditiva*

▶ **Texto de opinión:** *Deporte para todos.*

▶ Actividades y estrategias de control de la comprensión.

Competencia *Gramatical*

Contenidos propios de la unidad

▶ La voz pasiva.

Contenidos generales

▶ Contraste *ser / estar.*

▶ Completa con las palabras y expresiones de la lista.

▶ Preposiciones.

▶ Tiempos y modos verbales.

Algo más

▶ Adverbios terminados en *-mente.*

Expresión e interacción *Escrita*

▶ **Escribir una carta** para expresar convicción, invitar.
Expresiones útiles.

▶ **Exponer tu punto de vista.** Jueces en guardia contra la violencia
doméstica.

Expresión e interacción *Oral*

▶ **La lengua nuestra de cada día:** expresiones, refranes y frases
hechas.

▶ **Hablando se entiende la gente:** Medicina alternativa.

▶ **Debate.**

▶ La voz pasiva.

Unidad
10

Amelia Valcárcel

(1950)

DATOS BIOGRÁFICOS

Doctora en Filosofía y catedrática de Filosofía Moral y Política en la Universidad de Oviedo y de la UNED. Consultora para Naciones Unidas en Políticas de Género. Ha dirigido, coordinado y presidido diversos seminarios y congresos, y ha participado en proyectos de investigación del Consejo Superior de Investigaciones Científicas. Ha sido Consejera de Educación y Cultura del Gobierno de Asturias. Pertenece a diversos Consejos Editoriales, Jurados, Comisiones y Mecenazgos. Fue Presidenta del Congreso Español de Filósofos Jóvenes, de dos Congresos Españoles de Ética y Filosofía Política y preside también la Asociación Española de Filosofía "María Zambrano". Ha presidido y dirigido múltiples cursos y seminarios, nacionales e internacionales, y colaborado en los doctorados de universidades españolas e hispanoamericanas

Es directora de la revista *Leviatán*, directora del proyecto "Paridad" y Vicepresidenta del Real Patronato y de la Comisión permanente del Museo del Prado y miembro de la Comisión de Gobierno de la Biblioteca Nacional. Ha participado, además, en la *Declaración de Responsabilidades y Deberes Humanos*. Ha actuado como jurado en los Premios Príncipe de Asturias de Comunicación y Humanidades y de las Artes. Sus obras están siendo actualmente traducidas y también existen estudios sobre las mismas.

SU OBRA

Entre sus obras cabe destacar: *Hegel y la Ética* (finalista del Premio Nacional de Ensayo 1987), *Sexo y Filosofía* (1991), *Del miedo a la igualdad* (finalista del Premio Nacional de Ensayo 1994), *La política de las mujeres* (1997), *Ética contra estética* (1998), *Rebeldes* (2000). Entre sus artículos y ensayos destacan: *El discurso de la mentira, La Obscenidad, La secularización de pecado, Historia de la Ética, Historia de la teoría política, La misoginia romántica*. Entre sus ediciones: *El concepto de igualdad* (1995), *Los desafíos del feminismo ante el siglo XXI* (2000), *Pensadoras del siglo XX* (2001), *El sentido de la Libertad* (2002).

Los desafíos del feminismo ante el siglo XXI

¿Cuál es el origen del feminismo como filosofía política? El feminismo viene de la Ilustración Europea, aunque arranca previamente de la filosofía barroca. Pero es en el Siglo de las Luces cuando toma su primer gran impulso. Ese siglo, que es una larga polémica en torno a la más variada tópica, inaugura como polémica la igualdad de ingenio y trato para las mujeres. El XVIII, que es el origen de nuestro mundo de ideas, de gran parte de nuestro marco institucional y de bastantes modos de vida actuales, es también la fuente de nuestro horizonte político e incluso del horizonte de reformas sociales y morales en el que todavía estamos viviendo. Ese siglo singular presenta el primer feminismo como una de las partes polémicas del programa ilustrado.

El sufragismo fue un movimiento de agitación internacional, presente en todas las sociedades industriales, que tomó dos objetivos concretos, el derecho al voto y los derechos educativos, y consiguió ambos en un periodo de ochenta años, lo que supone al menos tres generaciones militantes empeñadas en el mismo proyecto, de las cuales, obvio es decirlo, al menos dos no llegaron a ver ningún resultado.

El derecho al voto y los derechos educativos marcharon a la par apoyándose mutuamente. A medida que los requerimientos para el derecho del sufragio de los varones se hicieron más sencillos —no pararon de suavizarse a lo largo del XIX hasta la obtención del completo sufragio masculino— la situación resultante se agravaba. Primero votaban los poseedores de una determinada renta, pero no las escasas poseedoras de la misma condición. Después el voto se aseguraba con la autosubsistencia, pero no para las mujeres, aun empleadas. Por último todo varón podía ejercerlo con independencia de su condición, pero ninguna mujer fuere cual fuere la suya. Y en este cambio de condición los derechos educativos tuvieron un gran papel.

En un primer momento algunas mujeres se aseguraron la enseñanza primaria reglada. La razón aducida para obtenerla fue conforme al canon doméstico: para cumplir adecuadamente las funciones de esposa y madre, los conocimientos de lectura, escritura y cálculo parecían necesarios. Tal petición, tan conforme a la sumisión doméstica, no podía ser rechazada, de manera que escuelas primarias para las niñas fueron creadas al amparo de esta femenina disposición. Poco más tarde, algunos grupos de mujeres reclamaron su entrada en los tramos medios de la enseñanza. La razón aducida también se protegió con el respeto al modelo vigente:

aducida también se protegió con el respeto al modelo vigente: pudiera darse el caso de que algunas mujeres, conociendo que sin duda su destino era el matrimonio y la maternidad, por adversas circunstancias de fortuna no pudieran cumplirlo. La orfandad, la falta de recursos para pagar una dote conveniente y otros acaeceres imprevistos podían quizá dejar a un porcentaje de mujeres de excelente intención fuera de la vida matrimonial. ¿No sería bueno que pudieran subsistir ejerciendo una profesión digna y no se vieran condenadas a la dependencia de sus parientes o, lo que es peor, la caída en el oprobio? Para asegurar su virtud y el buen orden, la demanda de escuelas de institutrices en primer lugar y de enfermeras después, se presentó, y de nuevo hubo de ser aceptada. Las enfermeras decían no hacer otra cosa que extender socialmente una virtud femenina privada, el cuidado. Y del mismo modo lo hicieron las maestras. ¿No era más adecuado que las niñas fueran educadas por mujeres y no por maestros varones que, con mayores expectativas, sin duda podían proporcionar mejores conocimientos a los alumnos varones? Y más aún, ¿no era mejor para la decencia que las mujeres educaran a las niñas o extendieran su capacidad maternal a la educación de los niños impúberes? Y así hasta el presente esas dos profesiones siguen siendo mayoritariamente femeninas. Fueron las primeras que se abrieron y permitieron una existencia relativamente libre a las mujeres de las clases medias. Pero quedaba un tramo, el más difícil, las instituciones de alta educación.

Asegurada la entrada en la educación primaria y ciertas profesiones medias, un grupo selecto de mujeres había logrado cumplimentar las exigencias previas a la entrada en las universidades. ¿Permanecerían éstas cerradas?

El espinoso camino educativo se conectaba directamente con el de los derechos políticos. A medida que en efecto la formación de ciertos grupos selectos de mujeres avanzaba, se hacía más difícil negar la vindicación del voto. El movimiento sufragista aprovechó internacionalmente esta tensión. A lo largo de la segunda mitad del siglo XIX y principios del XX multiplicó sus convenciones, reuniones, actos públicos y manifestaciones. Al movimiento sufragista le debe la política democrática dos grandes aportaciones de estilo. Una es una palabra, "solidaridad". Otra los métodos y modos de la lucha cívica actual.

El sufragismo innovó las formas de agitación e inventó la lucha pacífica. Los desfiles sufragistas se trasformaron en procesiones en las que mujeres vestidas con sus togas académicas llevando en las manos sus diplomas, seguían a los estandartes que reclamaban el voto.

Valcárcel, A.: *Los desafíos del feminismo* ante el siglo XXI (adaptado), Amelia Valcárcel y Rosalía Romero (eds.), col. Hypatia, Sevilla.

1. Señala si es verdadero (V) o falso (F) según el texto.

                      V F

1. Durante el periodo barroco se inaugura la polémica sobre la igualdad de la mujer. ☐ ☐

2. El Siglo de las Luces configura el marco en el que el se desenvuelve la sociedad occidental actual. ☐ ☐

3. El sufragismo pretendía conseguir los derechos al voto de las mujeres que gozaban de buena educación. ☐ ☐

4. El derecho al voto de la mujer se correspondía con la situación económica de ésta. ☐ ☐

2. Elige la opción correcta.

1. La mujer podía acceder a la educación primaria...
   a. siempre que fuera esposa y madre.
   b. si tenía conocimientos básicos de lectura y cálculo.
   c. alegando que así realizaría mejor las tareas del hogar.

2. El acceso a la enseñanza media se permitió en un principio...
   a. tan solo a las mujeres huérfanas que no estuviesen casadas.
   b. para proteger a las mujeres que por diversas circunstancias no pudiesen tener acceso al matrimonio.
   c. para asegurar la creciente demanda de institutrices y enfermeras de la época.

3. La educación y el derecho al voto...
   a. han caminado paralelamente en la consecución de la igualdad de la mujer.
   b. han resultado temas espinosos para ciertos grupos selectos de mujeres.
   c. han permitido a las sufragistas realizar movimientos a favor de la paz.

3. ¿En qué orden?

Las siguientes informaciones están tomadas del texto. Clasifícalas según su orden de aparición.

2 ☐ Tanto el derecho al voto como el educativo caminaban conjuntamente apoyándose.

5 ☐ Con el sufragismo, los modelos de agitación social cambiaron.

3 ☐ La demanda de escuelas de institutrices y enfermeras fue atendida, ya que aseguraba la virtud de la mujer y el buen orden.

4 ☐ Las escuelas de institutrices y enfermeras fueron las primeras que se abrieron y permitieron una existencia relativamente libre a las mujeres de clase media.

1 ☐ Fue necesaria la lucha de tres generaciones para conseguir el derecho al voto y los derechos educativos.

1. Relaciona las palabras del texto con sus sinónimos.

1.	impulsar _e_	a.	alegar _8_	
2.	polémica _g_	b.	alboroto _4_	
3.	sufragio _i_	c.	válido _14_	
4.	agitación _b_	d.	bienes _16_	
5.	empeño _ñ_	e.	empujar _1_	
6.	obvio _k_	f.	suceder _17_	
7.	escaso _m_	g.	controversia _2_	
8.	aducir _a_	h.	arduo _20_	
9.	canon _j_	i.	votación _3_	
10.	sumisión _s_	j.	norma _9_	
11.	rechazar _n_	k.	patente _6_	
12.	amparar _r_	l.	recato _19_	
13.	reclamar _q_	m.	exiguo _7_	
14.	vigente _c_	n.	rehusar _11_	
15.	adverso _o_	ñ.	tesón _5_	
16.	dote _d_	o.	desfavorable _15_	
17.	acaecer _f_	p.	afrenta _18_	
18.	oprobio _p_	q.	demandar _13_	
19.	decencia _l_	r.	proteger _12_	
20.	espinoso _h_	s.	obediencia _10_	

2. Encuentra el antónimo.

1.	escaso _c_	a.	disminuir _10_
2.	sumisión _e_	b.	abandonar _4_
3.	rechazar _f_	c.	abundante _1_
4.	amparar _b_	d.	retroceder _8_
5.	vigente _g_	e.	desacato _2_
6.	decencia _h_	f.	aceptar _3_
7.	espinoso _i_	g.	desusado _5_
8.	avanzar _d_	h.	inmoralidad _6_
9.	capacidad _j_	i.	fácil _7_
10.	multiplicar _a_	j.	ineptitud _9_

¿y tú?

3. Completa la siguiente tabla.

SUSTANTIVOS	ADJETIVOS	VERBOS
impulso	_impulsado_	impulsar
polémica	_polémico_	_polemizar_
escasez	escaso	_escasear_
sumisión	sumiso	_someterse_
dote, dotación	_dotado_	_dotar_
agitación	_agitado_	_agitar_
multiplicación, múltiplo	_multiplicado_	multiplicar
rechazo	_rechazado_	rechazar

4. Completa las frases con las palabras del vocabulario. Haz las transformaciones necesarias.

sufragio
escasez
sumiso
institutriz
marcharse

empeñarse
varón
impúber
cívico
innovación

obvio
aducir
adversidad
estandarte
maternal

renta
canon
dote
acaecer
tensión

1 ▶ Una de las grandes conquistas del pasado siglo fue el .... universal, por el que todas las personas tenían derecho al voto.

2 ▶ En algunas comunidades todavía existe la costumbre de que la mujer aporte una .... al matrimonio.

3 ▶ En ciertas sociedades el que la mujer sea .... es un valor muy a tener en cuenta.

4 ▶ Cuando fuimos al museo de armas, vimos colgados los .... representativos de los distintos ejércitos.

5 ▶ Le pedí un favor hace tiempo y todavía no me ha respondido, es .... que no quiere hacérmelo.

6 ▶ La .... de agua está afectando gravemente a la agricultura.

7 ▶ Lope de Vega, al crear la Comedia Nueva, rompió con los .... del teatro clásico.

8 ▶ La empresa va viento en popa porque ha sabido adoptar las últimas .... de la tecnología.

9 ▶ En muchas culturas es importante el nacimiento de un ....

10 ▶ Dionisio Querubín piensa dejar de trabajar a los cincuenta y seis años y vivir de las ....

11 ▶ Su instinto .... la llevó a adoptar dos niños bolivianos.

12 ▶ En Torre-Pacheco existe un centro .... donde el Ayuntamiento organiza eventos culturales.

13 ▶ Nuestra amiga Nina .... en que cenáramos en la terraza de su casa.

14 ▶ Es una persona digna de admirar, se crece ante la ....

15 ▶ Cuando la madre se puso enferma contrataron a una .... inglesa para que se hiciera cargo de la educación de los niños.

16 ▶ Parece que en Oriente Medio la .... no disminuye, por el contrario, aumenta.

17 ▶ Tuvieron que .... de Chile porque Antonio encontró una buena oportunidad en Suecia.

18 ▶ En el juicio .... que estaba bajo los efectos de las drogas.

19 ▶ En la década de los 60 éramos todos .... y no sabíamos a qué nos dedicaríamos cuando creciéramos.

20 ▶ Los hechos .... últimamente no nos dan pie para ser optimistas.

5. *Multi* significa *mucho*, ¿podrías encontrar diez palabras con este prefijo o con su equivalente *poli* y definirlas?

Comprensión *Auditiva*

▶ Deporte para todos

1. Después de escuchar el texto *Paralímpicos*, di si son verdaderas (V) o falsas (F) las siguientes afirmaciones.

	V	F
1 ▶ Los medios de comunicación y los telespectadores son los responsables de los altos sueldos de algunos futbolistas.	☐	☐
2 ▶ El esfuerzo o la superación son méritos que se reflejan muy bien en personas deportistas.	☐	☐
3 ▶ La importancia que está cobrando el deporte paralímpico no se corresponde con su difusión en los medios de comunicación.	☐	☐
4 ▶ El deporte paralímpico es lo mejor que una persona puede hacer para aceptar su minusvalía.	☐	☐
5 ▶ Cualquiera se puede relajar viendo un partido de baloncesto o una carrera de atletismo en silla de ruedas.	☐	☐

2. ¿Lo has entendido bien? Elige la opción correcta.

1 ▶ En la grabación se afirma que...

    a. el deporte estimula un tipo de vida bueno para la salud.

    b. a través del deporte adquirimos más cultura.

    c. el deporte ayuda a promover fronteras culturales.

2 ▶ Los discapacitados...

    a. se superan mucho más que otros deportistas.

    b. hacen más divertido el deporte que practican.

    c. con su esfuerzo y deseo de superación nos emocionan.

3 ▶ En la grabación se desea que...

    a. los discapacitados continúen practicando deportes.

    b. los Paralímpicos sobrevivan sin tanto esfuerzo.

    c. los discapacitados se esfuercen más.

Competencia Gramatical

1. **Transforma las oraciones activas en construcciones pasivas con** *ser* **y/o** *estar*:

1 ▶ Encontraron al ladrón cerca del lugar del robo.
2 ▶ El mensajero entregó el paquete puntualmente.
3 ▶ Toda la población temía al tirano.
4 ▶ Se celebrará una fiesta en su honor.
5 ▶ Se vendieron todas las entradas para el concierto.
6 ▶ Han despedido al jefe de producción.
7 ▶ Después de la catástrofe han cortado todas las comunicaciones con el exterior.
8 ▶ Hace mucho demostraron que la Tierra se mueve alrededor del sol.
9 ▶ Atenderemos todas las quejas lo antes posible.
10 ▶ Durante una época sacrificaron mucho ganado para evitar la propagación de la enfermedad.

2. **Marca la opción correcta.**

1 ▶ *Es / está* prohibido fumar aquí.
2 ▶ Las farolas de la calle *son / están* encendidas automáticamente en cuanto anochece.
3 ▶ Hace unos meses que las obras del puerto ya *son / están* terminadas.
4 ▶ Las nuevas oficinas *fueron / estuvieron* construidas hace unos meses.
5 ▶ El problema ha *sido / estado* solucionado a tiempo.
6 ▶ Me dijeron que el trabajo *sería / estaría* terminado para el lunes.
7 ▶ Ha *sido / estado* descubierta una nueva medicina contra el cáncer.
8 ▶ El tráfico por ese túnel ha *sido / estado* cortado durante toda la semana debido a los desprendimientos.

3. **En el lenguaje periodístico se usa mucho la voz pasiva. ¿Cómo le explicarías a un amigo lo que dice este texto sin utilizar la voz pasiva?**

En estos momentos hace su entrada el novio. Está acompañado de su madre y madrina y se dirigen al interior del templo, donde son saludados por el Capellán. Al entrar la novia, acompañada por su hermano y padrino, es aplaudida por todos los invitados, puestos en pie. La larga cola del vestido de novia es trasportada por tres pajes, hijos de su hermano Manuel.

Les recordamos que el vestido ha sido diseñado por el famoso modisto Vicente y que han sido empleados más de 50 metros de seda cruda en su confección. Los motivos florales que lo adornan han sido bordados con hilos de oro y han sido invertidas horas y horas de paciente trabajo. El diseño fue realizado siguiendo indicaciones de la novia y constituía un secreto que ha sido celosamente guardado hasta este día. El velo es sostenido por una diadema que perteneció a la tía-abuela del novio –su valor ha sido estimado en 100.000 euros– y es el más emotivo de los numerosos regalos de boda que han sido recibidos por la feliz novia.

La ceremonia está siendo transmitida vía satélite y han sido enviados a nuestra capital periodistas de las principales cadenas de televisión de todo el mundo.

Tras la boda, los invitados serán agasajados con el tradicional banquete nupcial, que en esta ocasión va a ser preparado en las cocinas del excelente restaurante Piolín por el afamado chef Paco, y la velada será amenizada por un grupo musical que ha sido contratado especialmente para la ocasión desde Miami.

Competencia Gramatical

4. *¿Ser o estar?* **Completa el texto en el tiempo y modo adecuados.**

Amiga Pasajera: voy a contarte un cuento. Un hombre tenía una rosa; .....(1)...... una rosa que le había brotado del corazón. ¡Imagínese usted si la vería como un tesoro, si la cuidaría con afecto, si .....(2)...... para él adorable y valiosa la tierna y querida flor! ¡Prodigios de Dios! La rosa .....(3)...... también un pájaro; parlaba dulcemente, y, a veces, su perfume .....(4)...... tan inefable y conmovedor, como si .....(5)...... la emanación mágica y dulce de una estrella que tuviera aroma.

Un día, el ángel Azrael pasó por la casa del hombre feliz, y fijó sus pupilas en la flor. La pobrecita tembló y comenzó a padecer y a .....(6)...... triste, porque el ángel Azrael .....(7)...... el pálido e implacable mensajero de la muerte. La flor desfalleciente, ya casi sin aliento y sin vida, llenó de angustia al que en ella miraba su dicha. El hombre se volvió hacia el buen Dios, y le dijo:

– Señor: ¿para qué quieres quitar la flor que nos diste?

Y brilló en sus ojos una lágrima.

Conmoviéndose el bondadoso Padre, por virtud de la lágrima paternal, dijo estas palabras:

– Azrael, deja vivir esa rosa. Toma, si quieres, cualquiera de las de mi jardín azul.

La rosa recobró el encanto de la vida. Y ese día, un astrónomo vio, desde su observatorio, que se apagaba una estrella en el cielo.

Darío, R.: *La resurrección de la rosa,* (adaptado),
Grandes minicuentos fantásticos (Selección de B. Arias García).
Alfaguara, Madrid.

5. **¿Qué preposición falta?**

1 ▶ Si queremos competir .... las firmas rivales, tendremos que hacer una buena campaña de *marketing*.

2 ▶ Les ruego que se abstengan .... fumar en el autobús.

3 ▶ A pesar de todo lo que ha pasado, nosotros seguimos siendo fieles .... nuestras creencias.

4 ▶ El señor Ramírez llegó a la recepción acompañado .... su esposa.

5 ▶ Si vas a por el periódico .... paso cómprame la revista *Cocinar es fácil*.

6 ▶ El restaurante estaba .... los topes, así que decidimos irnos a casa y pedir unas pizzas.

7 ▶ No tenemos una idea concreta del viaje, lo decidiremos .... la marcha.

8 ▶ El doctor le dijo a mi padre que no se preocupara por nada pues gozaba de una salud .... hierro.

9 ▶ Cuando ya no lo esperaba le designaron .... el cargo de Director General.

10 ▶ Dejaron de hablarse .... la pelea que tuvieron a causa de la herencia del abuelo.

11 ▶ Mira, ... este tema no quiero seguir discutiendo, seguro que no nos pondremos de acuerdo.

12 ▶ Dejó dicho que .... su funeral pusieran música de Bach.

13 ▶ No leas en voz alta, lee .... ti, si no, no me puedo concentrar.

14 ▶ .... mi punto de vista no creo que hayan obrado correctamente.

15 ▶ No puedo comprender cómo hay gente que puede vivir .... televisión.

6. *¿Indicativo* o *subjuntivo?* **Completa el siguiente texto con los tiempos y modos adecuados.**

Atravesaron toda la ciudad, umbrosas calles del barrio alto entre árboles opulentos y mansiones seño-
riales, la zona gris y ruidosa de la clase media y los anchos cordones de miseria. Mientras el vehículo *(volar)*
...(1)..................., Francisco Leal *(sentir)* ..(2).................... a Irene apoyada en su espalda y *(pensar)*
..(3).................... en ella. La primera vez que la *(ver)* ..(4)...................., once meses antes de esa primavera
fatídica, *(creer)* ..(5).................... que *(escapar)* ..(6).................... de un cuento de bucaneros y princesas. Por
esos días él *(buscar)* ..(7).................... trabajo fuera de los confines de su profesión. Su consultorio privado
(estar) ..(8).................... siempre vacío, *(producir)* ..(9).................... mucho gasto y ninguna ganancia. También
lo *(suspender)* ..(10).................... de su cargo en la Universidad porque *(cerrar)* ..(11).................... la Escuela de
Psicología, considerada un semillero de ideas perniciosas. *(Pasar)* ..(12).................... meses recorriendo liceos,
hospitales e industrias sin más resultado que un creciente desánimo, hasta que *(convencerse)* ..(13)....................
de que sus años de estudio y su doctorado en el extranjero de nada *(servir)* ..(14).................... en la nueva sociedad. Y no *(ser)* ..(15).................... que de pronto *(resolverse)* ..(16).................... las penurias humanas y el país
(poblarse) ..(17).................... de gente feliz, sino que los ricos no *(sufrir)* ..(18).................... problemas existen-
ciales y los demás, aunque lo *(necesitar)* ..(19).................... con desesperación, no *(poder)* ..(20)....................
pagar el lujo de un tratamiento psicológico. *(Apretar)* ..(21).................... los dientes y *(aguantar)*
..(22).................... callados.

La vida de Francisco Leal, plena de buenos augurios en la adolescencia, al terminar la veintena *(parecer)*
..(23).................... un fracaso a los ojos de cualquier observador imparcial y con mayor razón a los suyos. Por
un tiempo *(obtener)* ..(24).................... consuelo y fortaleza de su trabajo en la clandestinidad, pero pronto *(ser)*
..(25).................... indispensable contribuir al presupuesto de la familia. La estrechez en la casa de los Leal *(convertirse)* ..(26).................... en pobreza. *(Mantener)* ..(27).................... el control de sus nervios hasta comprobar
que todas las puertas *(parecer)* ..(28).................... cerradas para él; pero una noche *(perder)* ..(29)....................
la serenidad y *(desmoronarse)* ..(30).................... en la cocina, donde su madre *(preparar)* ..(31).................... la
cena. Al verlo en ese estado, ella *(secarse)* ..(32).................... las manos en el delantal, *(retirar)* ..(33)....................
la salsa de la hornilla y lo *(abrazar)* ..(34).................... como *(hacer)* ..(35).................... cuando *(ser)*
..(36).................... muchacho.

Allende, I.: *De amor y de sombra,* (adaptado),
Plaza y Janés, Barcelona.

Adverbios en -mente

▶ Pueden modificar el significado de un verbo, de un adjetivo o de otro adverbio.

▶ En las series de adverbios *-mente* aparecerá en el último: *camina lenta y torpemente.*

VALORES:

▶ **Expresan frecuencia:** *habitualmente, constantemente, continuamente, raramente, aisla-damente, anualmente, diariamente, mensualmente, cotidianamente, esporádicamente, momentáneamente,* etc.

▶ **Expresan el tiempo:** *actualmente (= en la actualidad), anteriormente, previamente, anti-guamente, posteriormente, ulteriormente, recientemente, seguidamente (= a continuación), simultáneamente, nuevamente,* etc.

▶ **Expresan el grado de certeza:** *posiblemente, probablemente, seguramente, indudable-mente, ciertamente, definitivamente (= con toda certeza), aparentemente (= en apariencia), obviamente,* etc.

▶ **Para graduar:** *altamente, ampliamente, excesivamente, plenamente, enormemente, infini-tamente, sumamente, notablemente, sensiblemente, evidentemente, puramente, relativa-mente, parcialmente (= en parte), mínimamente,* etc.

▶ **Otros:** *principalmente (= sobre todo), básicamente, particularmente (= en especial), prácti-camente (= casi), buenamente (= sin esforzase de manera excesiva), felizmente, lamenta-blemente, súbitamente, repentinamente, humanamente (= según la posibilidad y capacidad de los seres humanos), debidamente (= como es debido), deliberadamente (= a propósito), voluntariamente, personalmente, precisamente, originariamente (= en su origen),* etc.

7. ¿Qué adverbio terminado en *-mente* elegirías para completar las siguientes frases? Hay varias posibilidades.

1 ▶ Quédese tranquilo, que haremos todo lo .... posible por ayudarle.

2 ▶ Yo no creo que lo haya hecho .... Seguro que ha sido sin querer.

3 ▶ No pude contarlos a todos, pero creo que habría .... cien personas en la sala.

4 ▶ Se levantó y se marchó de la fiesta .... Nos quedamos todos sorprendidos.

5 ▶ .... preferiría vivir en un lugar más tranquilo, aunque el centro tiene sus ventajas y los chicos lo prefieren.

6 ▶ Envíenos por fax o correo electrónico los impresos .... cumplimentados.

7 ▶ En caso de contestar .... a nuestra propuesta, comuníquenoslo antes del día veinte del corriente mes.

8 ▶ Tú haz lo que .... puedas y quédate con la conciencia tranquila.

9 ▶ ...., tiene usted razón. Ha habido un error y le pedimos disculpas.

10 ▶ Ese libro se ha publicado muy .... y todavía no lo tenemos en nuestra librería, pero podemos encargárselo.

11 ▶ Tengo la tesis .... terminada. Solo me quedan unas correcciones mínimas que hacer.

12 ▶ .... estaba tranquilo, pero supongo que por dentro estaría aun más preocupado que nosotros.

13 ▶ Te dije que .... vendría y no que venía seguro. No es lo mismo.

14 ▶ Se quedó .... sin respiración... Menos mal que se recuperó enseguida.

15 ▶ Sé que .... habían discutido, pero no puedo decirle qué pasó a continuación.

16 ▶ Tengo prisa, ya hablaremos más .... del tema en otra ocasión.

17 ▶ Se levantó y se marchó de la fiesta ....

18 ▶ .... ya están cubiertas todas las plazas.

19 ▶ Las causas del conflicto fueron .... económicas.

20 ▶ Dirá unas palabras de bienvenida y .... pasaremos a la recepción.

8. Con las siguientes palabras forma el adverbio terminado en *-mente.* ¿Qué valor expresa?

1 ▶ Triste	....	**9 ▶** Casual	....
2 ▶ Delicado	....	**10 ▶** Principal	....
3 ▶ Peligroso	....	**11 ▶** Frecuente	....
4 ▶ Violento	....	**12 ▶** Corriente	....
5 ▶ Cálido	....	**13 ▶** Seguido	....
6 ▶ Hábil	....	**14 ▶** Simple	....
7 ▶ Objetivo	....	**15 ▶** Especial	....
8 ▶ Ortográfico	....	**16 ▶** Desafortunado	....

Expresión e interacción
Escrita

ESTILOS

Existen diferentes estilos a la hora de distribuir el texto:

▶ **Estilo bloque:** cada línea se escribe desde el margen izquierdo.

▶ **Estilo semibloque:** la fecha, la despedida, la antefirma y firma se ponen a la derecha. La dirección del destinatario, las referencias y el asunto pueden ir a la derecha o izquierda. Cada párrafo tiene sangría.

Membrete

Fecha
Destinatario
Referencia
Asunto

Saludo:

....
....
....
...

Despedida
Firma y Antefirma
Anexo
Posdata

Membrete

Fecha

Destinatario

Referencia
Asunto

Saludo:

....
....
....

Despedida
Firma y Antefirma

Anexo
Posdata

¡Bienvenidos todos!

Redacta un folleto publicitario.

▶ Has conseguido uno de tus sueños: inaugurar una tienda de ropa especializada en la venta de tallas especiales. Redacta una carta a modo de folleto publicitario en la que tienes que:

▶ Presentar el producto.

▶ Hablar de la calidad y otras características importantes de las prendas.

▶ Expresar tu convencimiento de la buena acogida que tendrá el negocio.

▶ Invitar a los destinatarios a un pase de modelos el día de la inauguración.

Recursos

Expresar convicción:
Estoy totalmente convencido...
No me cabe la menor duda de que...
Tengo el convencimiento de que...
Sin lugar a dudas...

Invitar:
Tengo el gusto de...
Tengo el placer de...
Nos complacemos en...
Nos gustaría contar con...

Expresiones útiles:
Elegante, atractivo, selecto, idóneo, etc.
Amplia gama, gran variedad, extensa selección, etc.
Precios asequibles, increíbles, competitivos, pensados para Ud., etc.
Satisfacer las expectativas, responder a las necesidades, etc.

¡ACCIÓN!

Jueces en guardia contra la violencia doméstica

Redacta un artículo informativo.

> *"Los tiempos en que un hombre apaleaba a una mujer y la denuncia se aparcaba son del pasado. Este año han muerto a manos de sus maridos, sus compañeros o sus amantes 64 mujeres."*
>
> Hernández J. A.,
> *El País.*

Recursos

▶ Haz una lluvia de ideas sobre las siguientes cuestiones:

- ▶ Gravedad del problema.
- ▶ Posibles causas del alarmante aumento de casos.
- ▶ Consejos para las mujeres que sean víctimas de la violencia doméstica y para las personas de su entorno.
- ▶ Otros posibles tipos de violencia en el hogar.
- ▶ ¿Violencia doméstica o sociedad violenta?

▶ Ordena un poco tus ideas y redacta un artículo informativo para un periódico local sobre las cuestiones anteriores. (150-200 palabras).

Verbos: maltratar, soportar, agredir, amenazar, proteger, denunciar, luchar, exigir, garantizar, etc.

Sustantivos: apoyo, ayuda, víctima, vejaciones, humillación, acoso, incapacidad, sumisión, culpabilidad, agresor, etc.

Expresión e interacción *Oral*

La lengua nuestra *de cada día*

Cada oveja con su pareja

1. Relaciona las expresiones con su definición.

1 ▶ En todas partes cuecen habas.

2 ▶ Estar manga por hombro.

3 ▶ Ser pájaro de mal agüero.

4 ▶ Cumplir algo a rajatabla.

5 ▶ Hacer la vista gorda.

a ▶ Estar algo muy desordenado.

b ▶ Las debilidades humanas se hallan en todo el mundo.

c ▶ Persona que presagia sucesos desagradables.

d ▶ Con todo rigor, de manera absoluta.

e ▶ Fingir no haber visto algo.

¿A que no sabes?

2. Completa las siguientes frases con algunas de las expresiones anteriores, haciendo las transformaciones necesarias.

1 ▶ El profesor se dio cuenta de que estábamos copiando en el examen, pero .... y una semana después nos examinó oralmente.

2 ▶ María piensa que solo en su país hay violencia, pero la que verdad es que ....

3 ▶ En su despacho no puedes encontrar nada, está todo ....

4 ▶ En la dieta de adelgazamiento que estoy llevando tengo que .... todas las indicaciones, si no, no funciona.

3. Fíjate lo que cuenta Carolina sobre su experiencia compartiendo piso y elige el sentido adecuado a las expresiones en negrita.

1 ▶ Uno de los problemas de compartir piso es que a veces tienes que **hacer la vista gorda** para no provocar enfados.

    a. no decir nada.   **b.** tener paciencia.   **c.** fingir no haber visto algo.

2 ▶ Algunas veces llego a casa con ganas de tumbarme en el sillón, pero al abrir la puerta me doy cuenta de que no puedo hacerlo porque todo **está manga por hombro** y ¡claro!, hay que recoger, aunque solo sea un poco.

    a. estar desordenado.   **b.** estar la ropa por el suelo.   **c.** estar la mesa sin poner.

3 ▶ En fin, que estoy un poco cansada de vivir siempre con personas desordenadas. Creo que uno de estos días voy a tener que tomar medidas que van a tener que **cumplir a rajatabla** y ¡van a ver!

    a. obedecer al pie de la letra.   **b.** respetar sin protestar.   **c.** medir lo que dicen y hacen.

Expresión e interacción *Oral*

Hablando **se entiende la gente**

Medicina alternativa

Lee las siguientes informaciones.

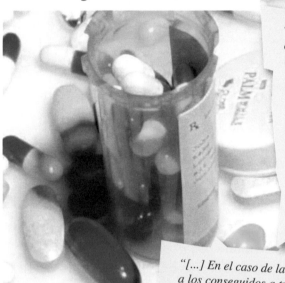

"La palabra mágica es "terapia". Basta con añadirle términos como "ozono", "reflexo", "pseudofisio"... para obtener alguna de las llamadas medicinas alternativas. [...] Algunas como la hidrología, están admitidas oficialmente y otras, como la acupuntura, la homeopatía, la fitoterapia o el quiromasaje son fiables, según aseguran la mayoría de los expertos."

"Sin embargo, las medicinas alternativas tienen muchos detractores, y es que curar, lo que se dice curar, son pocas las que consiguen hacerlo. Por eso, desde la medicina convencional se escuchan múltiples acusaciones contra la mayoría de ellas: "tratan síntomas en lugar de causas", "en realidad, son inocuas", "precios elevados", "existencia de charlatanes"...

Barberá, J. M. (adaptado), QUO.

"[...] En el caso de la homeopatía, aparte de que maneja conceptos empíricos diferentes a los conseguidos a través de la historia de la medicina [...] es imprescindible someterla al contraste que demuestre su verdadera eficacia. Es decir [...] moverse en el terreno del procedimiento científico. [...]. Lo cierto es que si analizamos con ojo crítico las escasísimas referencias de la literatura científica internacional, en ninguna de ellas se concluye que la homeopatía pueda ser una alternativa a la medicina tradicional."

Vivas, E. y Pelta, R.:
Los 100 mitos de la salud, Colección *Fin de Siglo*, Temas de Hoy, Madrid.

Se forman grupos:

A: Personas a favor de la medicina alternativa porque han acudido a ella y han obtenido resultados positivos. Creen que la medicina tradicional no es la única.

B: Especialistas que defienden la medicina tradicional. Argumentan que los usuarios de la medicina alternativa recurren a la tradicional cuando su enfermedad es seria.

C: Especialistas que opinan que estos dos tipos de medicina pueden complementarse.

D: Personas que piensan que es fácil caer en manos de charlatanes y nunca recurrirían a medicina alternativa.

Un moderador.

Prepara tu intervención.

▶ Infórmate sobre las medicinas alternativas. *www.medicina21.com* / www.sindioses.org / www.cancer.gov / www.femalt.com

▶ ¿Estás de acuerdo con lo que has leído? Reflexiona sobre el tema y anota tus ideas.

▶ Elige un grupo para desempeñar un papel en el debate.

▶ Cada grupo defenderá sus posturas argumentando a favor o en contra de este tipo de medicinas.

Debate

▶ En el debate se hará especial hincapié en:

    ▶ Pedir la palabra.

    ▶ Interrumpir.

    ▶ Dar o pedir aclaraciones.

    ▶ Lanzar preguntas abiertas.

LA VOZ PASIVA

▶ En la voz activa se pone énfasis en el sujeto de la acción:
El representante del artista preparaba la rueda de prensa para media tarde.

▶ En la voz pasiva se pone énfasis en el objeto de la acción que además va introducido por la preposición *por:*
La rueda de prensa era preparada por el representante del artista para media tarde.

La voz pasiva con *ser* + participio:

▶ Se usa para marcar una acción en proceso:
La rueda de prensa era preparada por el representante del artista.

▶ Su uso es frecuente en lenguaje periodístico o en textos didácticos y no tanto en el lenguaje cotidiano.

La voz pasiva con *estar* + participio:

▶ Se usa para marcar el resultado de una acción anterior:
La rueda de prensa estaba preparada a media tarde. (= ya la habían preparado).

▶ En estas construcciones no puede aparecer el complemento agente ("por el representante"), a no ser en frases del tipo: *La ciudad está rodeada por/de montañas.*

▶ Con algunos verbos, en lugar del participio se usa un adjetivo: *ha sido limpiada* ▶ *está limpia.*

La pasiva refleja:

▶ Con objeto no persona: se usa la voz pasiva refleja (*se* + el verbo en la 3.ª persona del singular o plural) para expresar aquellas acciones en que no hay un agente específico.
Se habla español / Se venden bicicletas.

▶ Con objeto persona: se usa la **a** personal y el verbo en la 3.ª persona del singular cuando el receptor es un sujeto personal singular o plural.
Se ve a la gente / Desde aquí se ve a las personas.

NO se usa la voz pasiva:

▶ Si el verbo principal es un verbo de percepción o emoción.
Ejemplos de verbos de este tipo son: *escuchar, odiar, oír, querer, sentir, temer* y *ver.*
No es correcto: *María fue odiada por Carlos.*

▶ La voz pasiva con el verbo *ser* no se emplea en una construcción en la que aparece un tiempo progresivo.
No es correcto: *El libro estaba siendo leído por Juan.*

▶ Cuando hay un objeto indirecto, no se puede formar la voz pasiva con *ser.*
No es correcto: *El regalo fue comprado a Isabel por su hermana.*